with
クロスワード
4

nikoli

ごあいさつ

　言葉とともに時を過ごせる人気シリーズ、『withクロスワード』の第4巻です。今回もやさしいものから難しいものまで、全60問の新作クロスワードパズルをご用意しました。第1～3巻とのつながりはありませんので、この巻単独でお楽しみいただけますよ。

　クロスワードパズルの遊び方はご存じの通りです。タテヨコのカギを読んで、思い浮かぶ言葉をワクの中にカナで書き入れていってください。なお、カギの文中に現れる⊖、①は、それぞれヨコのカギとタテのカギを表します。「⊖1」とあれば、ヨコの1に入る言葉のことを指しているのです。

　それぞれの問題を解いて、二重ワクに入った文字をアルファベット順に並べると言葉が作れます。ちょっとしたおまけで、問題の内容と関係があったりなかったりしますよ。

　勉強机にポンと置いておくもよし、カバンの中にこっそり忍ばせるもよし。いつでも、どこでも、あなたのおそばに。

ニコリ

with クロスワード4
目次

クロスワード作者

猪野裕靖　井本雅博　岩本真理　上谷紘冬

内野力一　遠藤郁夫　奥山光幸　小椋三寛

加藤秀子　加藤真文　金城正史　清見卓

桑子和幸　小林裕子　城田篤　新保謙

末廣隆典　高橋宗彦　髙柳優　竹内恵美子

田畑純子　塚田陽太郎　対馬尚行　坪田識稔

中村和寛　貫名英宣　沼億　野池悦子

野中亜紀　東田大志　百海孝弘　前島奬太

前田芳孝　溝口透　三津谷晴子　森陽里

森永麻香　矢野麻里　矢野龍王　山本俊治

相沢薫平　石井圭司　竹内順二　原大介

福本詩乃　本野しおり　焼田幸一

クロスワード編集：竺友信

イラスト：清水眞理　北条明　みりのと

デザイン：吉岡博

第1章

1〜30
（9マス×9マス）

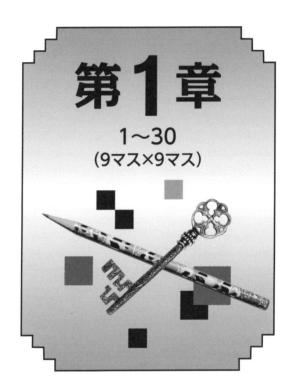

1 まずはこの地点から

作●たま

➡ ヨコのカギ

1 始まり始まり。まずはこの地点から1歩目を踏み出す

2 ただの1つも残さぬように、精一杯がんばろう

3 清涼飲料水の一種。ビンにビー玉が入っていたりする

4 「小数点第2位以下の――は切り捨てます」

5 フロアともいいます。――運動は体操競技の1つです

6 三角形のは底辺かける高さ割る2で求められます

8 早押しもあり、三択もあり、一問多答もあり

11 1人で演じる伝統的話芸

12 無風―― 安全―― 工業――

14 階段にもあるぐるぐるな形。DNAは二重――構造だとか

17 2対0とか98対86とか

19 船を停泊させるときに使う。無いと流されてしまうかも

20 「牧場」の読みの1つ

21 「弱り目に――」は、不運が2つ（以上）重なること

22 第二次世界大戦後、1990年まで東西にわかれていた

24 十二支の最後の動物

26 ――ボールは、ネット越しに球を打ち合うスポーツ。一般的なのは1チーム6人

27 注目の一戦、スタジアムは興奮の――と化した

29 世界に200ほどあり、⊖22もこれの1つ

32 青とか赤とか。2つ以上を混ぜて別のを作ることも

⬇ タテのカギ

1 がっちり組んで、みんなの力を1つにまとめる。元はラグビーの言葉です

4 元日、あるいは1月2日の夜に見る（かも）

7 競技を一時停止するために要求する

8 2つ並ぶと笑い声になる木

9 日本映画のラストシーンで画面に表示されがちな漢字1文字は「終」とこれ

10 攻撃対象を1つに絞り込みアタック！

13 2022年は十二支ではこれ

15 何一つ役に立たないもの。ろくでなしを「人間の――」と呼ぶことも

16 駅伝チームは1つのこれをみんなでつないでいく

18 「鶴の一声」「水魚の交わり」など。昔の出来事に基づく

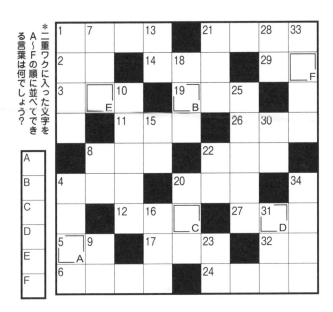

*二重ワクに入った文字をA〜Fの順に並べてできる言葉は何でしょう？

A
B
C
D
E
F

ものは故事──ともいう

20　一人前の芸妓になるために修行中の娘さんたち

21　三十一文字とも呼ばれます

22　縄文式と弥生式の２種類が特に有名

23　ローマ数字で、「１」を表すアルファベット

25　昔の映画をもう一度上映

28　landという英単語の意味の１つ

30　２人以上が並ぶとできる

31　合格点に達しなかったのでもう一度受けてね

33　レストランなどの献立表。たくさんあると、注文する品を１つに絞りづらい

34　実際には無いのに、まるで実在するかのように見えるもの。夢か──か

2 おかわりするときに

作●SEIKO

➡ ヨコのカギ

1 2018年ごろにも一大ブームとなった、丸くてぷよぷよした食べ物
2 サラダ── ドリンク──
3 英米のレシピでよく使われる重さの単位。記号はoz
4 トイレとは別々になっている部屋が借りたいなあ
5 ⤵28の一種。豚の大腸です
6 福岡あたりの旧国名。──煮という料理もあります
8 犬がおかわりするときに差し出します
10 昼の12時よりもあと
12 土手鍋によく使う貝
14 犯行に──する
16 ニッチな分野の──産業
18 紅玉などの芯を抜き、バターや砂糖を詰めて作ります
20 「新聞の顔」ともいわれる欄
21 農場での体験後のおみやげはポテト
23 ウェルダン？ ミディアム？ それとも…
25 卵白を泡立てて作ります
26 白鳳、あかつきなどの品種があります
27 ソムリエに選んでもらうこ

ともあります
29 株取引で風説の──はNG
31 出すべきものまで出し惜しみする人

⬇ タテのカギ

1 ほうれん草や小松菜を数えるときに使う単位の１つ
3 青じその葉のこと
5 ナナではないほう
7 青椒肉絲（チンジャオロース─）の緑色の部分
9 ふりだしからあがりまで
11 フランス料理でおなじみの食用カタツムリ
13 亭主関白↔──天下
15 カラオケで原曲から──を２つあげて歌った
16 尺の10分の１
17 自分以外の誰か
19 スチームを発生させて食材を加熱します
21 イート──かテイクアウトか、どちらにしようかな
22 コクと──のあるビール
24 渓流の女王とも呼ばれる魚
26 居酒屋で冷酒と刺身の──を頼んだ
28 ハツ、ガツ、ミノ、フワ
30 あの美しいパフェは──の価値があるよ

10

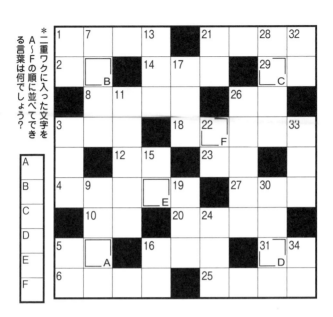

*二重ワクに入った文字をA〜Fの順に並べてできる言葉は何でしょう？

A	
B	
C	
D	
E	
F	

32 「繰り返し」を意味する音
  楽用語。ギター ──

33 昼の12時よりも前

34 韓国語で鍋料理のこと

11

3 いろいろあります

作● 湾狼子

➡️ ヨコのカギ

1 赤字の家計はコレより支出が多い
2 青春をこういうふうに過ごしたかった
3 緑黄色野菜の1つ。ジュースにしたり↓3の付け合わせにしたり
4 赤の他人より自分を優先
5 赤子の手をひねるくらいの難しさ
6 白河の関や田子の浦。和歌に詠まれた名所です
7 地球のあまり青くない部分
12 葬式で張られることが多い黒と白の縦じま
14 お肌の一部が黒ずみます
16 炒め物がおいしい中国野菜。漢字で書くと「青」の字が入ります
18 緑色の小さな両生類。天気を予知するとも言われます
19 契約などを白紙に戻します
22 沸騰をしずめるために注ぐ
24 人の力で海や川を進む小舟
26 ちりと同じく無価値なもの
27 お酒に漬けたりする毒ヘビ
28 おみくじの悪くはない結果

⬇️ タテのカギ

1 青菜にかけるとしおれます
3 赤ワインに合うと言われるおかず。牛や豚を使います
8 沈黙が金ならコレは銀
9 金属などがもつ独特の輝き
10 さなぎが成虫に変身します
11 マッチの赤くない部分
13 家族が団欒したりする部屋
14 黒や白がある海の宝石
15 顔のパーツ。イラストでは中を赤くぬられがち
17 入浴をおしゃれに言うと
19 ハラハラするような大騒ぎ
20 青毛や鹿毛や栗毛がある
21 物を落とすと痛い足の先端
23 絵を描いて暮らしています
25 焼き鳥やお団子に刺します
26 白やウグイスや粒がある
27 ずっと1カ所で働いてきた
29 移動の途中でついつい食う
30 青カビで発酵させた乳製品
31 赤青白の国旗を持つアジアの国。首都はバンコクです

＊二重ワクに入った文字をA～Dの順に並べてできる言葉は何でしょう？

A	
B	
C	
D	

1	8	10		17	20			27	30
2				18		23			
			14 A			24			
3		11			21			28 B	
		12				25			
4	9				22		29		
5		13 D		19					
6			15			26			31
7			16					C	

4 セーラー服の…

作●からかさおばか

➡ ヨコのカギ

1 布団は必要だけど朝食はいらない

2 ジャーマン── ──サラダ ──チップス

3 ネコの仲間では一番大きい

5 百円玉で桜がある方

6 紙に入っているミシン目は、とても親切な──線

9 先っぽに平や丸や三角がある

11 6秒数えるとおさまるという説もある

13 セーラー服の一番下の部分

14 花粉が原因の人もたくさんいる

17 開いた口がふさがらない状態

18 お相撲さんは地毛だけど、時代劇ではほとんどこれ

19 ネズミの仲間では一番大きい

20 クイズ番組で間違うと出される

21 タバコがやめられない原因物質

23 どうにもならない、──詰まった状況

25 鳥の仲間は持っている

27 枕を置くと縁起が悪いと言

⬇ タテのカギ

われる方角

1 とても少しの液体を移動させるときに使用

4 もう1つ昇進すれば横綱に

7 もんじゃ焼きを作るときに建設

8 ──が明かないとはかどらない

10 時代劇で火消しが振っている

12 一般社会と関わらず生きる者

15 泳ぎのうまいイタチの仲間。水陸両用

16 セーラー服の一番上の部分

17 女王や兵隊がいる6本足

18 クイズ番組でこれを頼りにする人もいる

19 春一番はこれの種類

20 ペリーがやってきたあたりから始まったとされる

22 とても小さい物体を移動させるときに使用

24 泳ぎのうまいイタチの仲間。海で生活

26 1年のうちでシトシトザアザアな日が長く続く

28 太鼓や木琴の相棒

29 目玉焼きの白目の部分

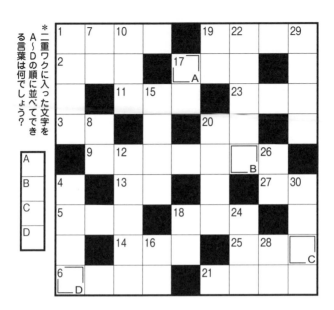

A

B

C

D

30　ソーダやコーラに入ってる

5 美しく炊けた

作●前島奬太

➡ ヨコのカギ

1 ねずみの巣穴にコロリン
2 劇 遅れ 考証
3 良く言えば倹約家
4 盆踊りで囲む
5 トッピングなしでシンプル
7 ご飯を赤ちゃん言葉で
9 牛肉＋デミグラスソースの
　　――ライス
10 魚河岸で威勢よく行われる
11 米と具を炒めてから炊く
13 豆腐に布目をつける布
15 衛生目的で回転ずしの皿に
　　ついていることも
16 ネバネバが持ち味の野菜
17 米と混ぜて炊き、牛タン定
　　食のご飯にする
18 赤子泣いてもこの蓋取るな
19 ――切りにした刻みねぎ
20 茶碗よりもけっこう大きめ
22 料理屋で出る「つきだし」
　　は関西だと「お――」
24 熊野名物めはりずしの外側
25 泳ぐ魚を貫くヤリかな

⬇ タテのカギ

1 鍋の締めでも作る米料理
3 オムライスに使う筆記具!?
6 省いて効率化
7 チョウと読む自治体もある
8 ――器はしゃもじとセット
10 アート アニマル アロマ
12 茶碗にご飯をこんもり
14 トライアスロンの最終種目
15 米が原料のものは煎餅など
16 スイッチを切って稼働停止
17 親のお姉さんか妹さん
18 クッパやキンパが名物
21 クラッチペダルのない車は
23 ライスを埋めればドリア
25 正月に消費が増える米製品
26 春の七草におけるスズナ
27 美しく炊けた白ご飯
28 甘辛油揚げの中身はライス

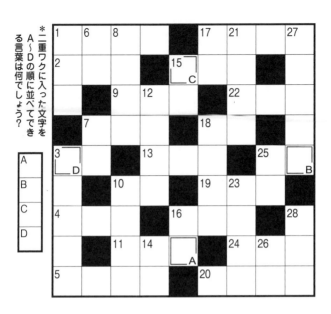

＊二重ワクに入った文字を
Ａ〜Ｄの順に並べてでき
る言葉は何でしょう？

A
B
C
D

6 社会をより良くするために

作●Asaka

➡ ヨコのカギ

1 スピードを出すときに踏む
2 脚をぴったり覆う　全身用もある
3 素振りで「ブン！」となったときに切る
4 サインは他の人に頼まずに
5 将来こうなりたい！　と持つもの
6 山小屋のアルバイトは通いだと大変なので
9 チャンピオンの座を賭けてファイト！
11 あれもこれも全部食べたい人が張ってる
13 絶対にやっちゃダメな行為
15 髪や肌に欲しいハリと──
16 少ない収入を上手に
17 ホテルのここで待ち合わせ
18 社会をより良くするために納める
19 棒に火をつけたあかり
21 不安に思い、憂えること。事態を──する
23 アリさんを英語で
25 冬に舞うわずかな白いもの
26 ──上がり　──請け合い　──普請
27 さざんかが美しいここに泊まりたい

⬇ タテのカギ

1 バレーボールでレシーブ→トス→──
4 果物や野菜のしぼり汁
7 出る──は打たれる
8 ラララ～♪で人々の心をつかむ女性
10 桃や端午の
12 英語だとwhen
13 丸い粉もん料理の具になる8本足
14 増加の──をたどる
16 弓を使わないと送れない手紙
17 女王バチのごちそう
19 近くも遠くも出かけた足跡
20 カラオケの必需品　手に握る
22 ──タックス　──スポーツ　──メール
23 ぎゅう～っと──を加える
24 契約を果たします
26 以前→わんぱく　最近→素行不良
28 オニはあるが金棒はない　テッポウはあるがピストルはない
29 クネクネしてるダンス
30 一緒に住みます

＊二重ワクに入った文字を
A〜Dの順に並べてでき
る言葉は何でしょう？

A	
B	
C	
D	

1	7	10			19	22		29
2				17		B		
		11	14				26	
3	8		15		23			
	9	12		20 A				
4 C				18		27	30	
5			16		24			
		13			25	28 D		
6				21				

7 洗うのが面倒で

作●ヤキオ

➡ ヨコのカギ

1 専門に扱うサロンもある、目の上に生えているもの

2 車の側方にある、後方を見られるもの

3 弱っている人にさらに攻撃

4 停滞したムードに──を入れるため、改革を進めた

5 ──学習はコンピュータが自律的に学ぶこと

6 タイガーアイはこの動物の目のようなガラの石

7 洗うのが面倒で、使い捨ての──レンズを使っている

10 物事の基礎。英語で言えばＡＢＣかな？

12 子どもの視線が親よりも上になるのでヒーローショーでしている親子もいますね

14 ベッドのマットレスにたくさん入っていることもある

16 男女一組が氷上で踊るように滑走

17 「エスプレッソコーヒー」＋「ホットミルク」＝？

19 その──はたいへんお世話になりました

22 近視が進んだので、眼鏡の──を上げました

24 飛行機などで輸送

26 英雄の肖像が刻まれていたりする、Au製のコイン

28 人々が一堂に会する

30 ──は往路、帰りは復路

31 七夕の日に短冊を飾り付ける植物

⬇ タテのカギ

1 「柿食へば鐘が鳴るなり法隆寺」などの句が有名

6 「──につく」は眠ること

8 それ以外、それじゃない

9 まわして見る。──板

11 釣りで、目的以外の魚

12 エジプトの首都

13 早足で目的地に向かっていると、ここに咲く花を見る余裕はないかも

15 しっかり理解

17 目玉焼きや卵焼きを作るとき、卵のこれを割る

18 眠い目をこすりながら、髪についた──を直した

20 納豆に引く

21 スロー── ──ロス

23 外見や容姿

25 少し開いていた戸の──から、部屋の中をのぞいた

27 出世しない人や、パッとしない人は上がらない

29 ゴロゴロピシャーンの原因

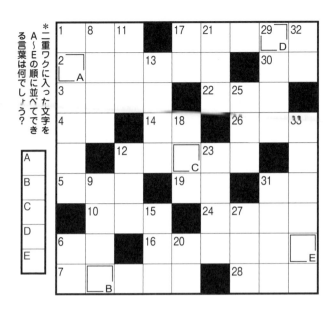

となるモクモク

31 映画の音楽をまとめて収録
した──トラック

32 ──に塩を送る

33 石や砂を山や川に見立てる。
京都の龍安寺や大徳寺の庭
などが有名

＊二重ワクに入った文字を
A～Eの順に並べてでき
る言葉は何でしょう？

8 (?)(?)(?)(?)

作●松風

➡ ヨコのカギ

1 桜を口実に騒ぐ
2 これは雨耶雪耶
3 木材の継手部分にある突起
4 長い下積みを経てようやく
　──を見る
5 在庫一掃セール！
6 新人が病気になるころ
8 態度が穏やかになること
10 和紙の原料の１つ
12 冬場の重労働の１つ
14 小さな小さな石っころ
17 猿（?）や豚（?）の仲間（?）
　の河童（?）
19 習わぬ経を読む小僧の前に
21 還元率は５割以下
23 東京近辺の土地の昔からの
　呼び名
25 雲上人から見た地上
26 少量の貨物や人員を運ぶ船
27 丸の内のOLがおしゃれに食
　べる
29 状況次第＝──バイ──
31 餅をついたり粉をひいたり
　する道具

⬇ タテのカギ

1 手綱からの指令を馬に伝え
　る馬具
3 身体からガスを出すこと
5 たけのこが次々と出てくる
7 ひねくれたクイズ
9 行ってしまったあの人の余
　韻
11 あきらめられずにたらたら
12 これは虚耶実耶。ぼんやり
13 山を賑わせるもの
15 ──議員　暴走──
16 お坊さんが着ける
18 メンタルが沈んでます
20 嘘つきは２枚持つという
22 天然　合成　消し
24 おもに男性の長髪を呼ぶ俗
　語
26 ああみっともない人
28 ピース
30 忘れてはいけないと世阿弥
　さんが言っていました
31 ゴールデンは大型連休
32 とても珍しい
33 ８×８の盤上で戦うゲーム
34 これがいい人は素質アリ

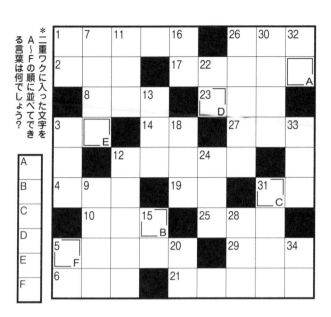

*二重ワクに入った文字を
A～Fの順に並べてでき
る言葉は何でしょう？

A	
B	
C	
D	
E	
F	

9 もっぱら大酒呑み

作●Bon.

→ ヨコのカギ

1 ヨーロッパの内陸国

2 冬が旬の甲殻類。タラバよりやや小型

3 丸太とか対数とか

4 「起立——であります。よって、本案は可決されました」

5 グラウンドから球が飛び出さないように張られている

6 専門店も多い、大衆的なメニュー

9 かくありたいというイメージ

12 代表的な出汁の素材。塊のまま使うことは通常しない

14 「おかずが沢山。どれ食べようかな…」という無作法。「惑い」と言うこともある

16 物事に集中して取り組むときに詰める

17 体温測定や業務用など、さまざまな用途の製品がある

18 ナイル　アマゾン　長江

19 氷結した湖で見られる現象。諏訪湖のものが有名

20 つい、うっかり

22 おもに金属製の紐。防犯用の固定や、ネックレスなどにも

23 本番の前のリハーサル

25 イカを干したもの。縁起が悪いほう

28 貧相なさま

↓ タテのカギ

1 春の七草で有名だが、その正体は大根

4 荒切りでシチュー、みじん切りにしてハンバーグなど活躍の野菜

7 登山中に上から落ちてきたら大事故に繋がる

8 潤滑油と違い半固形のため、ベアリングなど軸受部品での使い勝手が良い

10 「こちらの天ぷらは——につけず、塩でお召し上がりください」

11 農林水産省の出荷統計では「果実的野菜」と分類されている

13 「回り灯篭」とも呼ばれる伝統的な照明器具

15 専門——　専修——　林間——

17 スライスして生食、リング状に切って揚げるなど活躍の野菜

18 バットを振ってジャストミートで響かせる

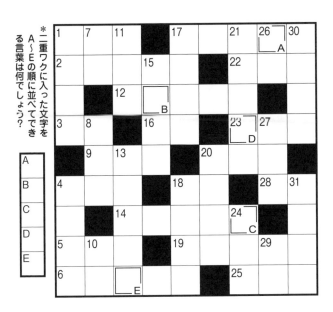

*二重ワクに入った文字をA～Eの順に並べてできる言葉は何でしょう？

A	
B	
C	
D	
E	

- 20 大蛇のことだが、もっぱら大酒呑みをたとえる言葉としておなじみ
- 21 「本の虫」なんて言い方もある
- 24 多忙な月
- 26 昨晩 ⇒【ここ】⇒ 今晩
- 27 水を飲むときや、うがいをするときに使う容器。紙製のものもある
- 29 鏡開きで割る
- 30 病気など心身の不調を診てもらうこと
- 31 イカを干したもの。縁起が良いほう

10 焼き菓子なので濡れてない

作●はいカード優さん

➡ ヨコのカギ

1 焼津より東にある静岡の市。なお「ぬ」で始まる日本の市はここと群馬の沼田のみ

2 ──整然とした説明

3 門をロックする横一本の木

4 「門を開けろ」「合言葉を言え。山？」「──！」

5 一時的なおやすみ。お──をいただきます

6 カンフーの達人が振り回し暴れるイメージのある武器

8 アルフォンス・ミュシャに代表される、1900年ごろの芸術

11 アフリカの動物。『白日』を歌うグループの名前にも

12 「あるじ」とも読む漢字

14 質の悪い貨幣のこと。味はスイートではなさそう

15 松田聖子の楽曲、堀辰雄の小説、宮崎駿の映画に共通

16 豆腐やシフォンケーキのようにやわらかな布

17 びよ～～ん

18 箱　くじ　いばり

19 つぶあんじゃないほう（!?）

21 フランス生まれのスイーツ。焼き菓子なので濡れてない

23 キツネじゃないほう（!?）

25 エスじゃないほうこう

27 十二支のブービー

⬇ タテのカギ

1 モルタルやしっくいなどで仕上げた建造物の一部分。水木しげるの妖怪の名前としても有名

4 野良じゃないほう。裏切って手を噛んだりしないワン

7 栗のことをこう言うなんてロマンチック！

8 濡れ手に…

9 ──カツ　──骨　──汁

10 飴にナッツや果実を加えて作る、おこしに似た（!?）スイーツですがー！

11 湿原内にたくさん

12 お酒好きが蕎麦屋で天ぷらなどをつまみにするため、蕎麦を取り除く注文のことをこう言ったりもする

13 鮮やかに赤く光る宝石

15 かりじゃないほう

16 布打ちで使う台。あるいは➡23が逆立ちして化けた？

17 草や果実などが主食の動物。時折悪夢も食べてくれる？

18 カヤックやボートの仲間

19 妖怪猫が逆立ちして化けたら、就活で有利かなぁ

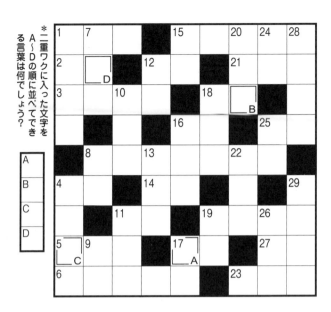

*二重ワクに入った文字を
A〜Dの順に並べてでき
る言葉は何でしょう?

| A |
| B |
| C |
| D |

20 箱　くじ　さがし
22 英語でキャップやハット
24 関西でのクロダイの呼び名。
　　血で濡れてるわけではない
25 アルファベット順で⊖25の
　　13個前
26 現在は北海道を中心に暮ら
　　している日本の先住民族
28 オレが服をビショビショに
　　した犯人だと!?　まったく
　　身に覚えがないぞ!
29 瓶ビールとグラスと…あ、
　　これが無いと飲めない!

11 ここに国民こぞって祝い

作●オグランド

➡ ヨコのカギ

1 祝日：――記念の日
2 目玉焼き乗せハンバーグ丼
3 これも実力のうちだそうな
4 音速超えショックウェーブ
5 祝日：――の日
6 初詣といえばお寺とコチラ
8 南に向けばうしろはコチラ
11 ニオイに癖ある果物の王様
13 成し遂げた者が――に入る
15 仕様がないので焼けません
17 年始に踊り歩くいかつい顔
19 コノブンショウハコレノミ
20 おなかの辺りを守る剣道具
22 切り崩したくないたくわえ
23 祝日：――感謝の日
25 一家団欒を過ごす部屋なう
28 祝日：――の日
30 公家と相対する好戦的貴族

⬇ タテのカギ

1 祝日：――の日
4 ほんとに目があったら怖い
7 確信に結びつくよりどころ
9 室町幕府と勘合貿易で交流
10 祝日：――の日
12 イネの苗を水田に移します
14 予算の余りを次年度分へと
16 習い事等のため毎月支払う
18 お日様みたいに明るい性格
19 芸術作品が与えし心の揺れ
21 受験生や応援団の頭を一周
24 ウイルス対策ガラガラペッ
26 成し遂げた者が――に浸る
27 布団を囲んで吸血をガード
29 小判の色にも表される植物
31 ジャイアンが言うのび太評
32 祝日：――記念日

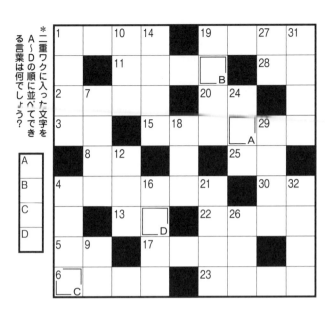

＊二重ワクに入った文字を
A〜Dの順に並べてでき
る言葉は何でしょう？

A
B
C
D

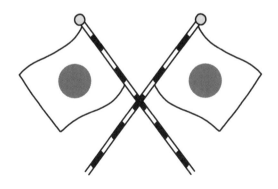

12 写真やイメージがたくさん

作●しきみのる

➡ ヨコのカギ

1 夏を代表する昆虫。茶色で立派な角が特徴

2 「こんな大切なことを忘れるなんて ——だった」

3 乗り物を使用せずに移動すること

4 水族館でのショーが人気な動物。賢く可愛いイメージ

5 漢字で「百日紅」と書く、ミソハギ科の夏の花

6 フィッシングをしている人

9 2024年の年賀状にはたくさん登場予定の海の生き物

12 猿に柿をぶつけられた

14 座るための家具

16 印象派を代表する画家。代表作は『睡蓮の池』

19 日本ではネズミが最初で、イノシシが最後

21 土台のこと。「——工事」

23 夏から秋が旬の魚介類。前半3文字は後半2文字を乾燥させたものの名前

25 穴をあけるために使う工具

27 キネのパートナー

28 前回との差がプラス

29 使えなくなること

31 写真やイメージがたくさん載っている解説書

34 平べったくてトゲがある種もいる魚

⬇ タテのカギ

1 1つ、2つと数えること

4 プリンターがすること

7 管理職はこの人たちの育成も仕事のうち？

8 夏を代表する昆虫。光るおしりが特徴

10 ——カケス　——シジミ　——ビタキ　オオ——

11 東海道で保土ヶ谷と藤沢の間の宿場町

13 大概の割り箸やペットボトルの運命。もったいない

15 食材を水と調味料で加熱した料理

17 春日部から懸巣（とんち）

18 上司が下の者にすること

20 「朝が弱い」＝「——が悪い」

22 大きな尻尾が特徴的なげっ歯目

24 天から舞い降りる白い結晶

26 壁などの表面にペンキやニスをつけること

28 水の中にすむ原生生物。履き物に似ていることが由来

30 糊を舐めて舌を切られた

32 トゲトゲがある海の生き物

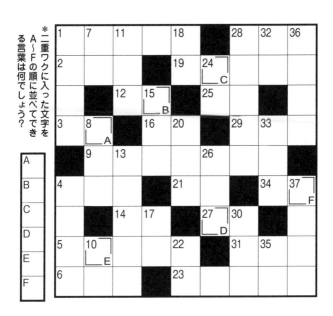

33 聞こえるか聞こえないかの
ボリュームで話す音

35 蛤、帆立、浅蜊などの総称

36 「可口日可日欠」=「口丹
ノム小」=「反木ルノイ」

37 「外国へ行って——交流を
しよう」

13 やうやう白くなりゆく原因

作●にゃんこばずうか

➡ ヨコのカギ

1 両手でスリスリ回して空に飛ばすT字型玩具

2 近世日本で実施された公的土地調査

3 しびれて感覚がなくなる

4 コンビニのレジ付近に置かれることも多い煮込み料理

5 一面銀世界の眺め

6 八方―― 月下――

9 腕押ししても手ごたえに乏しい垂らし布

12 喧嘩しているシギとハマグリを横からまとめて奪い去るような横取り儲け

14 邪魔な部分を切り落とす写真加工テクニック

16 三国=日本+――+天竺

19 獲れたてのマグロやタイが競り売りされる施設

20 あの人は自分が永遠の命を持っていると思い込んでいる――がある

21 気に入って何度も繰り返し利用しちゃう人

23 ダジャレだと吹っ飛ばされちゃう寝具

24 オヤスミ時の服装

25 手巻きやチラシに使うすっぱくて白いやつ

27 人類がこれまでに成し遂げ経験してきたもろもろの移り変わりやその記録

30 韓信の――くぐり 世界を――にかける

⬇ タテのカギ

1 幼いころにチクバの友と、これで遊んだ…はず

4 立てたらサムズアップ

7 明治初期に藩に代わるものとして設置されました

8 あけぼのに山際がやうやう白くなりゆく原因である天文現象

10 やにふるとりとかくとり

11 那須高原、中禅寺湖、鬼怒川温泉といった観光地がある日本の①7

13 エックス線や111番元素でおなじみの物理学者

15 イヤなのや不吉なのは的中してほしくないものです

17 昔は銀行にお金を預けるとたくさんついてきました

18 幼蚊

20 列車通過中は遮断桿で通せんぼされちゃう場所

22 正直者の木こりは金製や銀製のものをもらえました

23 「あれれ～おかしいぞ～?」

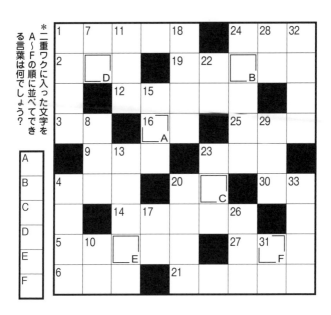

A

B

C

D

E

F

　　と抱くのは――の念

24　爪をアーティスティックに
　　装飾してくれる専門家

26　シロともクロとも言い切れ
　　ない状況

28　――時間　信号――　キャ
　　ンセル――

29　ラーメンにのせる、歯ごた
　　えある刻みタケノコ

31　4方位の1つ

32　パスタイム　レクリエーシ
　　ョン　リラクゼーション

33　過疎地ではバスの代わりに
　　乗合――が運行されている
　　地域も多い

14 「なにをしようかなあ」

作●ひらやまひらめ

➡ ヨコのカギ

1 納豆や味付け海苔と並んで朝定食には定番の品

2 鯉に似てるけど、口ひげは無い魚

3 ガスが原因でも起こる。街中だと災害になることも

4 「なにをしようかなあ」とすることが選べる時間

5 漢字で外郎と書く和菓子

7 衣服やコスメのキラキラした装飾

9 鞍や蹄鉄や手綱をまとめてこう呼ぶ

11 賞状入れに適した形

13 正式発表前に当事者へ行われる通知

16 確率に夢を託す娯楽施設

18 ──の味が堪能できるのも旅の楽しみの1つです

20 並んだ家で波のように見える部分

22 パリの街並みに似合う音楽

23 これに着替えて「おやすみなさい」

24 下ろすとおでこが隠れます

26 イエスが福音を伝えるために選んだ弟子

27 甘いのも渋いのもある秋の果物

29 魚── 鳥── 哺乳──

32 ハナの下で長くのびているところ

34 言いにくい文章だから噛んじゃうよ

⬇ タテのカギ

1 フォークの相棒

3 有名な俳人が俳号に用いたバナナに似た植物

6 舞台の床下。──の底

8 お馬さんの食べ物

10 十二支にはいるが動物園にはいない

12 「──がつく」とは、おおよその見通しが立つこと

14 丸太。──ハウス

15 大恥かいて顔がこの色に

17 ここにはいられなくなりました

19 天皇や皇族を診療する

21 松・竹とくれば梅。天・地とくればこれ

23 山頂や展望台から広がる景色

25 シンデレラが乗ったのはカボチャからできてました

27 進路を変えるときに切る

28 ぴょこぴょこ跳ねる生き物

30 船の大きさを表すのに用いる単位

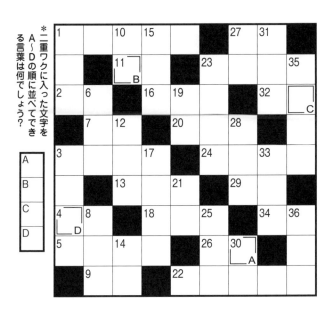

＊二重ワクに入った文字を
A〜Dの順に並べてでき
る言葉は何でしょう?

A
B
C
D

31 ゲスト。応接間へお通しし
　てもてなします

33 海の向こうがスポンサー。
　──導入、──系企業

35 古風な手紙にぴったりなロ
　ール状の用紙

36 50mプールで競泳200mを泳
　ぐときに3回すること

35

15 愉快愉快！

作●一ノコト

➡ ヨコのカギ

1 お寺に三重や五重のものが
あることも

2 顔の下部の上部

3 座るときにはレジャーシー
トをどうぞ

4 小説を彩る文字以外の情報

5 色気のある人は「っぽい」

6 子供のお絵かき用筆記具

8 ！！！！！！！！！！！！！
たまりにたまった鬱憤を！
！！！！！！！！！！！！！
吹き飛ばすよな賑やかさ！
！！！！！！！！！！！！！
外から見ればはた迷惑も！
！！！！！！！！！！！！！
中ではみんなが愉快愉快！
！！！！！！！！！！！！！

10 暦の上では夏の始まり

12 元号を付けずに表す年

13 晴れた昼間に見える青

15 深い人の顔はメリハリが効
いている

16 押したようでは変わりがな
いが、押してあれば間違い
ない

17 誕生した場所

19 ➡8の直後はさめやらない

21 牧童の仕事用楽器

23 時を惜しまずにいつまでも

取り組み続ける粘り強さ

24 感情や糸がごちゃごちゃに

26 車輪あるので担がず引くよ

28 胞子で増える羊の歯

⬇ タテのカギ

1 何かを予定しているその日

4 アルト、テナーなどの種類
がある木管楽器

7 壁を作る人ってこれだけの
付き合いになりがち

8 服飾品を見事に着こなす

9 惰性で慣れていて、そうで
あることに何の疑問もない

11 勝利のためにあれこれ悩む
囲碁や将棋の終盤戦

13 どんなことにでも生じうる
互いの意見の食い違い

14 中身が空洞な細い円柱

15 決心していた考えを翻す

16 ケーキ屋さんでは、あまり
やってない方法

18 対立したあと丸く収めない
と残っちゃう

20 ⬇8な人はなっている

21 太陽の光を受けて輝いてる

22 多忙な人にはねぎらいたい

23 投げたらアカン駄目になる

25 日ごろよく着る慣れた服

27 効く人には憧れちゃう

29 事件の証拠を科学的に分析

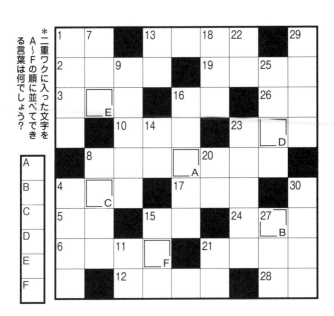

*二重ワクに入った文字をA〜Fの順に並べてできる言葉は何でしょう？

A	
B	
C	
D	
E	
F	

30 焚き火の際に拾い集める

16 あなたが好きだから

作●冴戒椎也

➡ ヨコのカギ

1 好きです！
2 食べること。——イン
3 最下位
4 パン屋でパンをつかむ道具
6 連絡がない、——のつぶて
7 「好きです！」という想いを綴った手紙
8 水泳の途中でする呼吸
10 太陽暦の一種で、現在も採用されている暦法。制定に関わったローマ教皇・グレゴリウス13世の名にちなむ
15 長靴。レイン、サイハイ
16 物事の順番。——に好きになる
17 私はあの人のことを好きだけどあの人はそうじゃない
18 角材を十字にしてつけた扉
19 古くからの知り合い。——の間柄から恋愛関係に発展
22 ミステリアス
23 ほんの気の——から恋に落ちることもある
25 それとこれとは話が——
27 1階よりも下のフロア

⬇ タテのカギ

1 好きです！ ——になってください
5 まだ新人です
9 通信販売等を一定期間内に解約できる——オフ制度
11 ひまつ
12 平和の象徴ともいわれる鳥
13 炎のように真っ赤なハス
14 長蛇の——をつくる
16 ブリーフやブラジャーなど
17 IC乗車券などをかざして読み取るための装置
18 ミカンが似合う暖房器具
20 ——心あれば水心
21 好きになった男性。↔彼女
23 ひそめたり、唾をつけたり
24 身分が低く雑用させられる人。奴隷
26 「好きです！」って言うのは——しちゃう、ドキドキ
28 「アルバイト」や「ゲレンデ」は——由来の言葉
29 花札にちなむ、最も優れているものを指す言葉

＊二重ワクに入った文字をA～Fの順に並べてできる言葉は何でしょう？

1 / 9 / 12					18 / 20 / 24 / 28 F
2 C			17		
3		15	E	25	
4	13		21		
	10			26	
5			22	29 D	
6 / 11	16		27		
7	14	23			
8 A		19 B			

A
B
C
D
E
F

OIRIO!

ANATA GA SUKI...

17 マイルドな1皿目

作●いこいの森

➡ ヨコのカギ

1 ⬇36に入れる定番の野菜

2 ⬇36に載せる定番の揚げ物

3 リングに投げ入れることもあります

4 ⬇36の後ろ3文字のこと

5 ⬇36にすりおろして入れることも

6 これがあれば福引きにも当たるのに

8 目次はページ順。こちらは50音順

11 枝よりも太い部分

13 恵まれると大家族に

15 ⬇36の味の度合いの1つ

17 満腹になったあとに取りがちな姿勢

20 源平合戦では扇を用いた場面も

22 詐欺師とか、オオカミ少年とか

23 羚羊とも書くウシ科の動物

25 貯金や借金の増加分

27 ⬇36に入れる定番の野菜

29 専用のナイフでぬります

31 ──クリーム ──キャンディー

33 新規開店時などにまきます

35 添えたり、相手に持たせたり

⬇ タテのカギ

1 ハツユメに見たいもの選手権、銀メダル

3 ⬇36に用いる定番のスパイス。黄色い色を出します

7 お財布を忘れたときの顔の色

9 ⊖5にもあります

10 強靭な前歯でカラを割る人形もいます

12 ありがたいお方から差します

14 選挙に当選した人たちの仕事場です

16 不意打ちでつきます

18 マッチ売りの少女がマッチでとったもの

19 凝った意匠のもある、ふすまの上の明かり取り

21 札ではなく、玉のほうのお金

23 ──数の多い漢字は書きまちがえないよう注意

24 ⬇36に入れる定番の肉の1つ

26 他人なのにそっくり

28 割り振られたポジション

30 ぐいっぐいっと押して、体の具合を良くします

32 日本古来の2本指ソックス

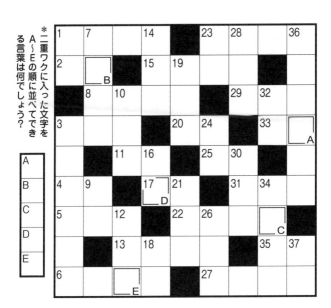

*二重ワクに入った文字を
A～Eの順に並べてでき
る言葉は何でしょう?

A
B
C
D
E

34 晒すくらいなら腹を切る、
　 という武士もいたとか

36 大人から子どもまで大人気
　 のメニュー

37 ⬇36の➡4の代わりに。小
　 麦粉をこねて作ります

18 スパイシーな2皿目

作●あるかり工場長

➡ ヨコのカギ

1 シーフードカレーに入れる
2 入れるのがオレの――
3 2019年5月に始まった元号
4 キレイなバラにはあるとか
5 シーフードカレーに入れる
6 汁気のないカレー
9 汁気少なめ挽肉カレー
11 汁気多めの札幌名物カレー
12 専務や常任や長がいる
13 他人を攻撃するマジック
15 つついたら蛇が出てきたり
17 美味しい店が裏に隠れたり
20 ニホンやエゾがいる小動物
22 ゴルフコースにある砂障害
24 こう作ろうかなという計画
26 曜日の1つ
27 約80個ある計算式＆結果
29 換気のためこまめに開ける

⬇ タテのカギ

1 より辛いのをより辛いのを
5 水をくむ伝統的設備
7 ――一文払わんぞ！
8 辛口のもっと上だぞ！
10 ここを一歩も動かんぞ！
13 船の乗組員が～波止場に～
14 ➡5が邪魔な中米の国
16 お店などで客相手に作る人
18 相手が上司なら私は
19 切ったり剥いたりせず食う
21 カレーの具にもなる肝臓
23 カレーを食べるときに使う
25 他にはない
28 ナンを焼いたりします
30 陶器を焼く前の材料
31 カレーにも使うスパイス

1	7			13 A		19		25	30
2		10						26	
		11	16						
3				17 B				27	31
		12	14		20	23			
4	8		15	18 D		24			
	9				21				
5				22			28		
6					C		29		

A
B
C
D

43

19 ワンちゃんのいる生活

作●小見枝まや

➡ ヨコのカギ

1　遠くの景色を見るとまっすぐ

2　ストーリーと絵で楽しませてくれる人

3　裁縫で縫い目が見えないようにするワザ

4　パンみたいな焼き菓子

5　めったにないようなこと

6　時を刻みますカチコチ

7　ワンちゃんとテクテク

9　ワンちゃんは平均して人間より短い

13　ホワイトな和風ソックス。前脚の毛がこれを履いたように見えるワンちゃんも

15　ワンちゃんに着せてコスプレ

16　倫理学や論理学など、どうあるべきかを考える学問

19　➡7をするときはできるだけ、「ド」から始まるここを歩きましょう

20　「やしないそだてること」の古風な言い方

21　レンズなどを通して見る

22　ワンちゃんの出産——が楽しみ

23　キャッシュレスが浸透して減りがちな財布の中身

27　消化のよい米料理

28　コアともいいます

⬇ タテのカギ

1　端午の節句に食べましょう

4　敗軍の将が経験したバトル

8　「天気が西から変化する」のはこれが原因のひとつ

10　明白だ、——をまたない

11　栗のまわりのトゲトゲ

12　2つで一組

13　ワンちゃんがフリフリ

14　国際大会で出ると盛り上がります

17　したためます

18　ふります

20　ワンちゃんは年1回予防接種を受けましょう

23　みつめます

24　漢字で木偏に母と書く樹木

25　単なる暴力ではない非情な行為

26　英語でtax

27　ワンちゃんを飼うかどうか相談しましょ

29　ワンちゃんの足の裏に

30　ワンちゃんが逃げないようにつけます

44

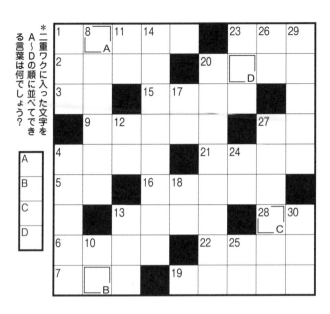

＊二重ワクに入った文字を
A～Dの順に並べてでき
る言葉は何でしょう？

A
B
C
D

20 裏切りの対価は

作●白銀のオオカミ

➡️ ヨコのカギ

1 直流電源を英訳した頭文字に、点を入れて始めに戻る
2 演奏会で客席に背を向ける
3 将棋で飛車角なしのハンデ
4 返上するよりは挽回したい
5 裏切りの対価は銀貨三十枚
6 支点と作用点ともう一つは
8 かぐや姫が入っていた植物
10 和尚の名前に由来する漬物
12 暗にそそのかす発言は富む
14 地球が常時行っている運動
17 回り道をしてみると長良川
19 平安京の暗記に縁のある鳥
20 物事を判断する目的の材料
21 信号等が点いたり消えたり
22 田で食べる虫も好き好き？
24 事前エントリーなしで参加
26 デュオとカルテットの中間
27 能でシテの相手方を務める
29 弾力のある点が飴とは違う
31 えーっと、十二年で一回り

⬇️ タテのカギ

1 昆布や鰹節からとる目標物
3 ①1でボイルしたビーンズ
5 立つと芍薬の場合の歩く姿
7 沸騰した①1に卵を入れて
9 山の頂点のこと。てっぺん
11 点心などの軽めのお茶請け
13 ネガとまるで正反対の状態
15 組織やチームを率いる役目
16 狛犬や仁王像の一対の様子
18 機械利用ではない麺類など
20 ダーウィン曰く変化を伴う由来。ある地点からの変化
21 赤い顔長い鼻に団扇が特色
22 イグアスやヴィクトリアやナイアガラが世界的に有名
23 針の穴に通して裁縫の準備
25 紙コップと①23で二地点間の通話を行うことができる
28 二階からは効果ありません
30 化学的な観点からいうと、二酸化ケイ素の結晶のこと
32 将棋で終局となる地点と罰
33 神前の白酒黒酒清酒濁酒等
34 十二支十番目での最終演者

*二重ワクに入った文字を
A〜Dの順に並べてでき
る言葉は何でしょう?

A	
B	
C	
D	

1	7			13 A		21		28	32
2			14	18				29	
	8	11		19		25			
3		B	15				26		33
		12			22				
4	9			20			C 30		
	10		16			27			
5			17		23			31	34
6					24 D				

47

21 全力でやりきった!

作●茶の湯

→ ヨコのカギ

1 うまくやれば長時間続けられるのが特徴のスポーツ
2 黒田清輝の『湖畔』で婦人が手にする
3 鉄を溶かす炉。『──のある街』は吉永小百合が主演した映画
4 義を見てせざるは──無きなり
5 ボーナスや賞与ともいう
6 「結い歌」「読み歌」が語源とも言われる八重山地方の民謡。安里屋──
7 ↑もこれの一種
8 全力でやりきった!
12 ワンマン以前は車掌がいた
14 ぶっちぎりトップで参上!
15 頭部を強くぶつければ簡単にできる
17 小さいね、かわいいね
19 読んだあとも用途はたくさん
22 拒否 不可 念
23 よく走る馬。──の労
25 ──のカニは見かけ倒し
27 キューで突く
28 肌着はこれがいいな

↓ タテのカギ

1 年次で5日取得が義務です
9 ──旅行はIT長者たちのトレンド?
10 長距離ドライブの前にはガソリンをこの状態に
11 サッパリすっぱいお酒
12 時に大発生し作物を食い荒らす
13 吸い殻 空き缶 紙くず
15 制服に多く使われる色
16 マリア・カラスの美声
18 流れゆく葦の葉の比喩
20 ソトの反対
21 足が速い神様
23 有るほうに賭ける
24 被災地に届ける救援──
26 進退きわまった!って状況
28 優良ドライバーはゴールド
29 通称は馬連

*二重ワクに入った文字を
A〜Eの順に並べてでき
る言葉は何でしょう？

1	9	11		16	20		26	29
	B							
2			■	17		■	27	
3		13		■	23	E		
4		■	14	21				
	■	12		■	22		■	
5	10			18		■	28	
6		■	19		24			D
7		■	15 A		■	25		
8								

A	
B	
C	
D	
E	

49

22 密室から脱出したり

作●熊金照代

➡ ヨコのカギ

1 懐中時計や腕時計
2 解いて密室から脱出したりするゲームも
3 精査して熟考
4 1960年代高度成長期の勤労者憧れの３Ｃの１つ
5 出来合いの既製服
6 印度産瞑想法にして健康法
7 ハワイアンな楽器
9 贋作ではありません
13 香炉・花立・燭台を三具足とよんだりする
15 小魚を干したちりめん──
17 女性が実物よりきれいに見えるらしい状況の１つ
19 人の英知や文明の進歩発展
21 羽目を外さない人が守る
22 アカデミー賞受賞者に贈られる──像
23 財力だけはある大金持ち
26 食材に衣をつけて揚げる料理
28 己の書いた出版物
30 エンジンなどの能力を表すのに使う単位
32 ご飯にあるときは生煮えかも
34 夜の帳が下りる前
35 ワックスをかけて出す

⬇ タテのカギ

1 夏の土用には受難の日あり
4 賑わいのある様子。──を呈する
8 フロンなどの影響で南極上空に現れる
10 絵画はこれに入れて飾る
11 公的機関でない
12 柿── ──柿
14 各都道府県のトップ
16 ──も子もない
18 ああ、くたびれた
20 食欲旺盛でも体型はスリム
23 落語などに登場するそそっかしい性格
24 外科医のナイフ
25 心や体の栄養となるもの
27 へまをする＝──を踏む
29 敏感肌のため赤い粘液で皮膚を守る、大きな体の動物
31 ヤギもヒツジも実は──科の動物
33 富山県の県花
36 江戸幕府の三奉行とは寺社奉行、町奉行と──奉行
37 香木のなかでも高級品

*二重ワクに入った文字を
A～Dの順に並べてでき
る言葉は何でしょう？

1	8		14	■	23		31	36
2		■	15	20		■	32	
3	B	11	■	21		27 A	■	
■	9		16		■	28	33	
4		■	17	24	■	34		
5		12	■	22		29	■	
■		13 C	18	■		30	D	37
6	10	■	19	25	■	35		
7			■	26				

A	
B	
C	
D	

23 劇場へようこそ

作●小飛蝗杏樹

→ ヨコのカギ

1 ここでコートや手荷物を預かってくれる劇場もある
2 高貴な方々がその行動に持っている
3 華やかな装い
4 舞台に立つ人はこの人たちのために演じる
5 飛行機が空へ
6 飛行機が空へ
8 サンタクロースのおじいさんのものは立派
9 素晴らしい演技はこれの取り方がポイントだとか
11 遠い未来じゃなくてさしあたり
14 お芝居の世界では軽く飛び越えられる
16 仕事や学校のあとに映画を見たりゲームしたりでつい
17 よいものを作るために食い違うことも
18 入場者数減ってるなあ、何かよい──策はないものか
19 妖怪、ばけもの。舞台に棲んでいることもあるとか
22 肩をはだけて広がる桜吹雪
23 はじまること。劇場では演目の──5分前にベルが鳴ったりしますね

24 物を預けてお金を手に入れるお店
25 次郎吉という名の有名な盗賊は──小僧と呼ばれた
27 舞台最終日の省略形

↓ タテのカギ

1 うまい交渉や仲介
6 湯につかって体を洗って
7 ごめんなさいごめんなさいごめんなさい
10 チャルメラを鳴らす屋台で売っている
12 社会的倫理的非道
13 爆弾じゃなくて弓矢を使うイメージ
14 個人でお金を負担
15 サーカスや雑技団の人が得意としている
20 期待の新作映画が全国一斉に──切りされた
21 舞台に上がる人が本番までにする
23 美脚の形容に使われる動物
25 いつまでも若々しくこれを感じさせない俳優さんも
26 スタントマンはこんな人？いえ、ちゃんと⬇21を積んでいるはず
28 ぴったりとおさまっていない

52

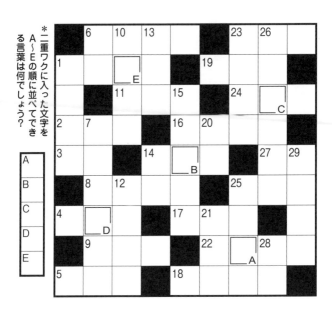

*二重ワクに入った文字を
A〜Eの順に並べてでき
る言葉は何でしょう?

| A |
| B |
| C |
| D |
| E |

29　色画用紙を細く切ったもの
　　を織物のように編んで

24 クロスワードで漂流記

作●最門雅

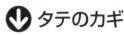 ヨコのカギ

1 作者より「乗っていた船が難破して、主人公は小さな──に1人漂着しました。この後の（ ）が付いているカギは、その状況がヒントになります」
2 （ないから自分で建てるか）
3 （落ちていれば貴重な食糧）
4 （集めて火起こしするか）
5 反対語はトツ
6 （都会ではピンチだがここではまったく問題ないな）
7 美辞とよくセットになる
9 4WDと似て非なる4WS
12 火が出たり、泥をぬったり
14 晩夏を意味する雅な表現。次の季節が近くまで来ていることを表しています
16 （ネギ背負ってこないかな）
18 （囲まれているなぁ）
20 互いに傷つき勝負なし
22 （野生のがいたらミルクも取れて助かるなぁ）
23 互いに倒れて勝負なし
24 （お化粧する機会がないから不要だなぁ）
26 蒲鉾の材料は魚の
28 （ここには自分だけ…）
29 （ここに洞窟なんかがあれば寝泊まりできるかも）

タテのカギ

1 ──のうちにしている行動は、自分では気づけない
5 和室にある保管スペース。布団などを出し入れする
8 会社から独立して始める人も
10 （名誉もこれも必要なし）
11 （くぐろうにも店がない…）
12 （会話する相手がいないので自然となるなぁ）
13 （あればサカナがたくさん獲れるなぁ）
15 まだら模様の毛色が特徴的な、サバンナの肉食獣
17 サカナ釣りの目印
18 きらら　マイカ
19 反対語はガイ
21 必死に考える＝──を絞る
23 （来ないリスクが高い…）
24 （いつ越すかそのうち忘れるなぁ）
25 二十四節気で立春の次
27 （そこらにいくらでもある）
28 扇げば老後も安泰
30 反対語はデ──
31 （1カ月の目安になるなぁ）

＊二重ワクに入った文字を
A〜Dの順に並べてでき
る言葉は何でしょう？

| A |
| B |
| C |
| D |

25 あと少しガンバロー

作●閑無月

➡ ヨコのカギ

1 富士山　日本のスーパーコンピューター

2 くるり

3 かけ算の基礎訓練

4 高いと暑く低いと寒い

5 ──目　──胸　──時計

6 人里離れた野中に建つ

8 日本の地形で平野より多い

10 寺に檀家、神社には？

12 山行でたどりつくまであと少しガンバロー

14 ツヤだし塗料

16 1人Q&A

17 思わず聞きほれるウグイスの名人芸

19 ──の手　──座敷

22 アップダウン

24 ゾクゾクッ風邪かな

26 ──は良貨を駆逐する

28 タガやネジに見られたら、ハズレる前に締め直します

30 ↔陽

31 台風、粒、柴、狸などにつくと小さい意になる

⬇ タテのカギ

1 ──の来客で外出が──に（同音異義語）

3 タイヤがパンクすると抜ける

5 結構毛だらけ猫──だらけ

7 コラボレーションともいいます。日米──映画

9 デコボコじゃなくボコデコ

11 駅伝各ランナーの受け持ち分

12 一事が──

13 おまかせします

15 ↔団体。──タクシー

17 ヨコでもホコでもない

18 ありのまま　スッピン

20 視野や心にかかるとすっきりしない

21 評判。──者、──商売

23 ラジカセを使ってカセットテープへ

25 模造毛皮はフェイク──

27 梨、柿、桃など実のなる木

29 暇を持て余している様

31 地球の地殻と核の間の層

32 元素記号P

33 大事なところ。肝心──

34 地球では陸地より広い

＊二重ワクに入った文字をA～Fの順に並べてできる言葉は何でしょう?

1	7 C	11		17	21		29	32
2		13			F	30	
	8			22	25		
3		14	18		26		33 E
		12 B		23		
4	9		19		31	
	10	15		24	27	
5		16	20 A			34
6 D				28	

A
B
C
D
E
F

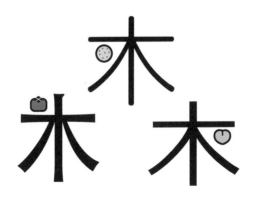

57

26 最高のクロスワードが

作●おく山みつゆき

➡ ヨコのカギ

1 《これまでのあらすじ》
最高のクロスワードが完成
したぜ…と作者が安堵した
その瞬間！ 手に持った飲
み物がこぼれ、原稿にポト
リ!! カギの文章のいくつ
かの文字が汚れて判読不能
になり、あろうことかその
まま製本されたのだ!! 作
者の──が招いたこの事態、
一体どうな■ちゃうの!?

2 多く■日本■図は北が──

3 怒り■坊は低いと■われる

4 バカやイモ■いる■体動物

5 ポ■ット ■ナジー ハン
タ■

6 当たり馬■をお金■換える

7 カジュア■ ハピ■ス

9 童■ではイヤ■ング持■て
お■さんを追■かける■物

13 ８月９■はこの犬種■日

15 「他人■男を奪うな■て絶
対許せな■…この──！」

16 ──かわ■さ ■日は──

18 ５月■日のお風■

20 タロ■トや■晶を使うけど
物を売るわ■で■ないし〜

22 竜巻■銀河や排■口で見ら
れる■旋形

23 「■分から好きと言■たら
負■、絶対に相■か■言わ
せてやる！」み■いなのが
（たぶ■）恋の──

24 「ミド■」っぽ■けど、ふ
り■けは■ラサ■色

25 剣■りも■し、と言■れる

28 左手■８ビートを刻■奏法。
正式■称「ウギ」が付■

29 馬にも熊■も魚にも４個■
る

⬇ タテのカギ

1 11■22■はいい──の■

4 哺■類■クセに卵を産■奴

8 宿泊前や搭乗■の手■き

10 粗いプレーや■雑把■スケ
ッ■につく形容■

11 掛■るお■事は■倒臭い

12 踏まれる■痛いスポー■靴

14 腰が■切な■川県の名■品

16 空に■かぶ■菓子み■い

17 付■る→ご祝■を添■る
溺■る→快楽■ふけ■
失う→顔が■ざめる

18 葉■きタバ■の別名

19 第■位の■ダルの色

21 抑揚の無■台詞回■

23 統領■親分などの■織の長

24 利かな■■人■イ■アタマ

25 ×印。レ■語■「あ■ち

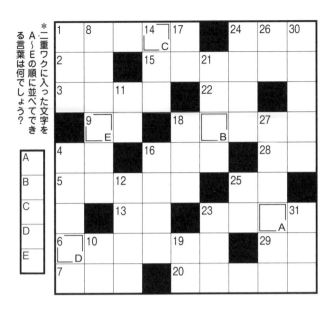

*二重ワクに入った文字を A〜Eの順に並べてできる言葉は何でしょう?

A	
B	
C	
D	
E	

へいけ」や中■語の「■可」
が語■と言わ■るが未詳

26 ──■切■目が縁■切■目

27 「常にや■ない」■は■く
「常にやるわけでは■い」

30 ■分さえ良け■ばそ■でよ
■!　という■え方

31 もう二度と原稿の上でイカ
スミスムージーを飲むのは
──だ。そ■心に決めた作
者なのであ■た…。《終》

27 油断大敵

作●真良碁

➡ ヨコのカギ

1 「――も歩けば棒に当たる」
動いてみると、思わぬことになるといった意味

2 「――に釜を抜かれる」
すごく油断していることのたとえに使うフレーズ

3 「――に染まれば黒くなる」
「朱に交われば赤くなる」と同じですね

4 「子は――の首枷」
親にとって子はいつまでたっても負担になるということ!?

5 「――より団子」
見た目より実質ということでしょうか

6 「――に鉄砲」
狙いが定まりませんね

9 「猫に――」
「豚に真珠」と同じ意味です

11 「論より――」
口でいくら言ってもダメということでしょうか

12 「袖すり合うも――の縁」
ちょっとしたことにも前世からの因縁があるということです

13 李白とかハイネとか萩原朔太郎とか

14 「京に――あり」
繁華な都にもさびれたところがあるということ

16 「待てば――の日和あり」
焦らずに天の恵みがあるのを待てという教えです。「海路」という場合もあるけど

17 「月と――」
見た目は似ていても大きな差があることのたとえ

19 代筆じゃダメです

21 餡子をたくさん使った甘い飲み物。白玉団子を入れたりします

23 雨がたくさん降ります

24 「下戸の建てたる――もなし」
これは、酒飲みの見解でしょう。「下戸の建てた――はない」ともいいます

25 過去でも未来でもありません

⬇ タテのカギ

1 ほんの少し先のことも予測できないという意味のことわざ

7 鞘に収まっていない刀のことです

8 寄せては返します

9 白銀より貴重!?

60

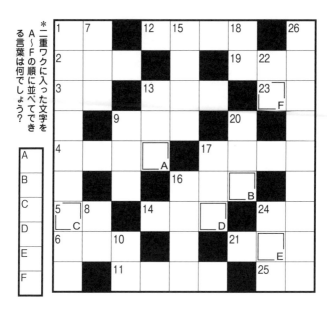

＊二重ワクに入った文字をA〜Fの順に並べてできる言葉は何でしょう？

| A |
| B |
| C |
| D |
| E |
| F |

10 「——の髄から天井のぞく」
   狭い見識で物事をみるのは
   問題だということ

13 紙——、猿——、一人——

15 「鰯の頭も——から」
   どんなものでも、信じれば
   救われる!?

16 「鬼に——」
   これで無敵かな!?

17 わずかな空き時間。惜しん
   で頑張りましょう

18 「——より育ち」
   家柄より環境や教育の方が
   大事という意味です

20 内部がからっぽなこと、心
   が虚脱状態にあること

22 「縁の——の力持ち」

こういう人が大事ですね

24 物事の具合が正常ではなく
   なること

26 意外なところから意外なも
   のが出てくることをたとえ
   た成句

61

28 ツボを心得てます

作● かばしさま

➡ ヨコのカギ

1 鎖骨の下にある腎機能を高め免疫力をアップするツボ。大分の温泉とどっちが効くかな？

2 糸魚川周辺では、縄文時代から加工されていた宝石

3 ものをためておく所

4 一方の—— 財界の——

5 目の疲れや肩こりに効く、首の後ろの髪の生え際にあるツボ。フチを伸ばして！

6 頭痛、不眠、ストレス等に効く頭のてっぺんのツボ。百円！んーないな

8 マトリョーシカは——構造

9 過去のものを参考に量刑を決めたりする

10 野球で「1－4－3のダブルプレー」などと言うときの1が表すポジション

12 広がること

14 親指と人差し指の付け根の間にある万能のツボ

16 脚の前側、膝の下の外側にある胃腸を整えるツボ

18 足の裏にある、気力や体力の回復に効くツボ。優先的に押すと良いかも

20 小型帆船

22 手紙に貼って出す

24 書体にはゴシック体、明朝体などがある

25 漢字で貂とか黄鼬とか書く動物

26 薬を飲むときはコーヒーやお酒ではなく

⬇ タテのカギ

1 赤々と西に沈む

3 鎖骨の下の外側にある咳止めなどのツボ。チューブの濁りも取れる？

6 体全体をおおっている。肌

7 火曜の次、木曜の前

9 ——音源というのは、CDより高音質なのかな？

10 実は餅にしたりする

11 当駅から終点までの——は各駅に止まります

13 天皇や皇帝の正妃

15 細長いシュークリームにチョコレートがかかっている

17 ヒット性の当たりだったが、——に阻まれた

19 いちばんはじめ。ここが肝心

21 ヤンバルクイナは沖縄の——種

22 思わず噛みたくなる色？

23 絶対上の線のほうが長く見

＊二重ワクに入った文字をA〜Dの順に並べてできる言葉は何でしょう？

A
B
C
D

えるのに、同じ長さなの!?

25 喉の痛みや咳に効く鎖骨と鎖骨の間にあるツボ。凸凸凸凸凸凸凸凸凸

26 2と4の間

27 前腕の外側にあるツボ。肩こりなどに効く

28 冷え性や腰痛に効く腰にあるツボ。しがない人種？

29 大向こうをうならせる

作●静山怒

➡ ヨコのカギ

1 大雨のたとえで流す、下すなどと言われる車のパーツ
2 糸を束ねてネジネジすること
3 寒風やフロスが通り抜ける
4 販路の拡大活動
5 シャンパンの口の飛び道具
6 恋がさめたらアバタのことも
7 遠い遠いはるかな昔
11 涙を駆使した大口舌
12 基本的に金では買えない
14 軍艦に搭乗する棘皮動物
16 団栗が比べると横並び
18 盗んだのは多分、畑で靴を履き直した奴
20 有無の目安は概ね37℃
21 かかされて顔が紅潮する？
23 ソースなしで口から吐く
25 空気中の水蒸気を削減
27 漆や木地に貝殻を埋め込む装飾法
29 アルキメデスに与えると地球を動かしかねないもの
31 ルビコン川で思う目が出た
32 1月7日はそこらで摘んで来たような7品目を投入

⬇ タテのカギ

1 これだけいれば十分です
8 意気込みは認めるが陸上競技場以外で降る確率は0％
9 タートルネック編むなら首の長い分網目を粗くする？
10 三要素は人民、領土、主権
11 コノコの母体
12 腹は空っぽ身はカラカラ
13 上昇志向のない風船の中味
15 大向こうをうならせるシーン
17 口を阿吽の半裸の門番
19 値切らずの価格で店は🖐！
22 城と連携する出張攻防拠点
24 眠れぬ夜は大群が待機中
26 おでんにちょいと付けたらピリッと大人の味に
28 ピッチング── ──ガン
30 華やかだけどケバケバしい
31 弾むと駕籠屋の足も弾む
32 パティシエの作るせいか物
33 これだけいれば十分です

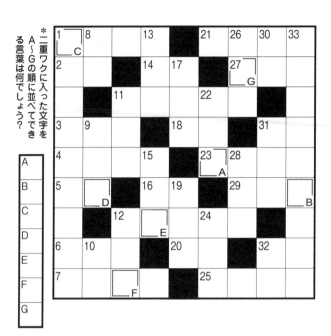

*二重ワクに入った文字を
A〜Gの順に並べてでき
る言葉は何でしょう？

A	
B	
C	
D	
E	
F	
G	

30 誠心誠意熱烈に推す

作●遠藤郁夫

➡ ヨコのカギ

2 ツルゲーネフの長編小説。旧体制を批判し、ニヒリストを気取ってこける、医学生バザーロフのお話

3 ナイジェリア北部最大の商工業都市。サハラ交易で栄えた古都でもある

4 ──一会は茶の心得

5 君主の称号。帝より格下

6 イスラム文化の遺跡が素敵な、アンダルシア地方の中心都市。ベラスケスの生地

8 徳川慶喜の大政奉還上表の舞台。京都の世界文化遺産

9 現代も信奉者がいる、貝原益軒の健康指南書

10 幸福の存在を諭す、メーテルリンクの童話劇

13 印象派に先だち、屋外での制作に目覚めた画家連中

15 伏義の妹or姉にして伏義の妻。中国創世神話の人頭蛇身の女神

17 役所から一般人への知らせ

20 中国は明末の医学者。薬物の大著『本草綱目』の著者

22 畳も座卓もない部屋

25 ビーガン御用達の食材

28 落語や漫才の常打ち場所

29 帳簿上の価額。基本、取得原価を指す

⬇ タテのカギ

1 神の愛と人間の幸福を論証しまくる、哲学者スピノザの主著

5 シェークスピア四大悲劇の1つ。イアーゴに翻弄される、ムーア人将軍のお話

7 第1次ロシア革命の発端となった、1905年1月22日の事件。民衆のツァーリ信仰の崩壊であった

10 消えやらぬ痕跡

11 前号→今号→──

12 ラトヴィア共和国の首都。神戸市とは姉妹都市

14 王侯貴族が憧れる毛皮アーミンを提供するイタチ科の可愛い動物

16 ナルシズムともいう、自分自身に惚れちゃうお気持ち

18 基本として、フォークとナイフがマナーの料理

19 船首を左舷へ回す。↔面舵

21 黒ぬりの岡山城の別名

23 会社の取締役に相当する、組合や協会の幹部

24 面会や座席の事前手配

26 保守的傾向。↔左派

*二重ワクに入った文字をA～Dの順に並べてできる言葉は何でしょう？

A

B

C

D

27 当座しのぎの誤魔化し策。中国の『列士』『荘子』が記す、猿をおちょくる故事

30 キリストへの愛を誠心誠意熱烈に推す、パスカルの遺著。『瞑想録』とも

31 芥川龍之介の晩年の短編。命日の7月24日は──忌と呼ばれる

第2章

31〜60
(9マス×11マス)

31 しばし待機

作●福本詩乃

➡ ヨコのカギ

1 「ワールドレコード」とも呼ばれる――新記録

2 mℓやmLであらわされる、体積の単位

3 コッチでもソッチでもない

4 裁判で弁護士や検事が主張します。――あり！

5 エサではなく、エサのような形をした釣り具の一種

6 人の上に人が乗って、ハチマキを取り合ったり

7 宣伝用に配る。クーポン券が付いていたりするものも

8 ライス製造に使う家電

13 ついこぼしちゃう不平不満

14 お湯を注ぎ少し待つだけで食べることができます

16 かんぬきを使ってあけしめ

17 取り消すこと。契約――

18 雑談するにも議論するにも必要な人物

19 やむか小降りになるまでのあいだ、しばし待機

20 春の七草の１つです

21 大きいだけで役に立たない――の大木

24 ――川は聖なる川として、インドなどで信仰を集める

26 ポークの元になる動物

27 王様のパートナー

28 ちょっとうるさいよ、――にしてちょうだい

29 ――満々だけど、それって――過剰なんじゃない？

31 天に任せることもある

32 これを集めるハチもいます

⬇ タテのカギ

1 「準決勝」を英語で

6 かかとのこと。――を返す、とは後戻りすることです

9 鳥や獣を捕まえます

10 ――から――に事件が起きて心休まらない

11 柔道の技の１つ。相手の重心を崩して倒します

12 ENTERと表示のあることも

14 安全運転しましょう

15 勝負、特に相撲で負けることを――がつくと言います

16 ――煮込みや――鍋などで美味しくいただく内臓

17 どちらも同じくらい。成功か失敗か、確率は――だ

19 もう手おくれでどうしようもない――の祭り

20 夏の風物詩でもある家電

22 もうだめだ許してください、と――を入れる

23 バリカンなどを使いヘアー

70

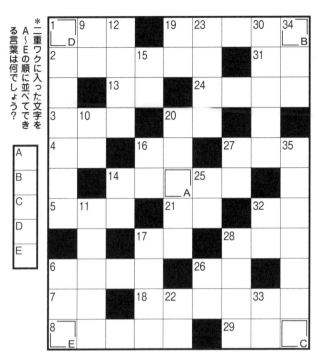

左側縦書き：
＊二重ワクに入った文字を A～E の順に並べてできる言葉は何でしょう？

A
B
C
D
E

をバッサリ　　　　　　　　　されて載っています

25 状況不明で——が立たない

26 ——は食わねど高楊枝

27 ↔オフ

28 焼いたり揚げたりする前に、あらかじめ調味料や香辛料で材料にこれを付けておくことも

30 ——破りだぞ、いざ尋常に勝負勝負！

32 人間の生存に不可欠なH_2O

33 ——の上にも3年

34 洗った髪をケアします

35 森羅万象のものごとが整理

71

32 背を向けて立つ

作●ぺそぎん

➡ ヨコのカギ

1 バッター三振

2 全部まとめて網で捕まえる

3 書道で使うし、タコも使う

4 アクエリアスは──座

5 ファースト、ビジネス、エコノミー

6 竜はこれを触られると激怒するらしい

7 普通は金属製だけど、ホテルだとカードの場合も

8 人型地球外生命体

11 刀の根元どうしで押し合う

14 飛行機が揺れる原因

15 胡椒、唐辛子、生姜、山椒

17 水道や電気は生活に不可欠なライフ──

19 分けたものをさらに分ける

20 ミンミンと鳴るその音はまるで雨のよう

24 人以外のものを人型キャラクターに変換する

26 叩いたあとに渡ればより安心

29 宿屋の中にあるお風呂。↓9の温かい版ではない

31 走っている自分を押し戻そうと抵抗してくる混合気体

32 ──相撲をするときはお互いに背を向けて立つ

34 ──カンは愛媛県の地名が名前に付く柑橘類

⬇ タテのカギ

1 アイスクリームよりはクリームじゃない

6 力強い応援の言葉で気持ちを奮い立たせる

9 夏の熱い道路にバシャーン

10 狙わずして会計金額がゾロ目だとこれかもしれない

12 類が呼んでくれる

13 展望台の床がこれだとスリル満点

15 過失の対義語

16 クレジットカードのここには署名欄がある

18 牛に引かれた結果着く場所

20 Z──は生まれながらにデジタルネイティブである初の──

21 速さと時間の積

22 なかよくすること。1854年に日米──条約が結ばれた

23 包丁だけでなくフードチョッパーでもできる

25 飼い主さんに可愛がられているワン！

27 レタスやキャベツにある

28 動物専門ドクター

30 海にすむ亀もいれば、ここ

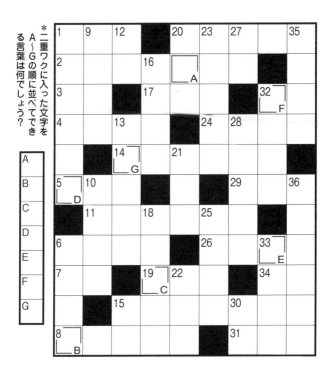

32 登場すると盛り上がる

33 菌などを人工的に増やす

35 本物そっくりの偽物だけど、
　　観賞用には十分

36 1位になったら受け取って、
　　1年後に返す

33 青年と年月の関係

作●もしや野中

➡ ヨコのカギ

1 複数の特徴を併せ持つ
2 一念で通されるロック
3 組織や会社の部門
4 人を見た目で好き嫌い
5 尻尾を切って逃げる
6 ピッチャーが上がる
7 杏仁豆腐の上の赤い実
9 緑　紅　麦
12 仙台のウシのやつが有名
14 しんくと言っても色ではなく
16 青年＋年月
18 スズメとかメジロとか
19 大根に唐辛子を挿してすったもの
21 百葉箱で計測していたことも
23 ヘラクレスとかアトラスとかもいる昆虫
25 銃を持ったり船に乗ったり
27 調理実習のある教科
29 その道に詳しい人
30 まだキッズだモー
31 親のはかじられる
33 楽団の略みたいな容器
35 実験のある教科

⬇ タテのカギ

1 機嫌を損ねた人がするいやがらせ
4 漫才もあるカップル
6 舞台で上がる
8 感染症予防のために打つ
10 火山のへこんだところに水がたまったもの
11 お肉はポーク
13 石南花と書く花
15 手本を見て書に励む
17 忍者の里として有名な市
18 青年ー年月
20 衆議院議員は4年、参議院議員は6年
22 話しかけられても無視
24 グラタン＋ライス
26 小高い地形
28 石のはたたかれる？
30 品評会もこれの一つ
32 水がめと牡羊の間
33 果肉がイエローなピーチ
34 眠たくてつういうとうと
36 あんぱんの上の粒
37 日本だと5月ぐらい
38 やられたらやり返す

＊二重ワクに入った文字をA〜Dの順に並べてできる言葉は何でしょう？

1		11	15		24	■	33	36
	■	12			25 D			
2	8	■	16	20	■			■
3	B 13			■	30		37	
■	9		■	21	26		■	
4			17	■	27	34		
	■	14		22	■	31		■
5	10		■	23	28		A 38	
■		18			■	35		
6		C		■	29	32	■	
7		■	19					

A

B

C

D

75

34 このページにある

作●誰か

➡ ヨコのカギ

1 空飛ぶ機械を操る人
2 「よ」と「や」が議会で対立
3 平安貴族の頭を飾った
4 恩をこれで返す人も
5 天上でゴロピカを司る
6 悲しいセレモニーを司る
7 家や部屋の出入り口にある
8 漂白や脱色のことです
10 スキーブーツもこの一種？
12 英訳はバックナンバー？
15 茎がマカロニ的構造の野菜
18 薬や表現を飲み込みやすく
20 このページに46個ほどある
22 山中にポツンとあることも
24 熱も電気もよく通す金属
25 我が子から見れば①35
26 きいてる料理は刺激的
27 振り子運動体感用具
29 地面を掘ったら古代の器が
32 何も身に着けていません
34 人もビルも危険もいっぱい
36 砂漠の船に１つか２つ
38 「円周率は？」「無理！」
39 このページに46個ほどある

⬇ タテのカギ

1 裏地がなくて暑い時期向け
4 プリン──は日本発祥
9 お遍路さんの生みの親
11 これは禁物、じっくりとね
13 迫っていると本当にリアル
14 放課後ここで学ぶ児童も
16 終業後ここで飲む大人も
17 海辺に行くと香る
19 煙突などに使う焼き物
21 重量物を巻き上げる装置
23 笠置シヅ子『東京──』
25 反対語は「教わり大人」？
26 特定層だけが使う俗な言葉
27 当クラブは新入──募集中
28 十二支にも星占いにも登場
30 バーディーとボギーの間
31 垂れ下がる冷たい棒
33 暇乞いして帰る先
35 結婚も可能な四親等
37 光合成などで作られる
40 こんな宴でも犯罪はNGです
41 コロンブスが目指した地

＊二重ワクに入った文字をA〜Fの順に並べてできる言葉は何でしょう？

1	9		17			26	30 A	35	
2			18	23					
3		13 C		24				36	40
	10		19			31			
4			20			32 B	37		
5		14			27				
6		D		25			38		
		15	21			33			
7	11		22			34 F		41	
	12	16		28			39		
8		E			29				

A
B
C
D
E
F

46?

35 間に遊ぶぞ

作●ねこあい護家

➡ ヨコのカギ

1 社長のそばにいる美女というイメージ（古いか）

2 疑われてる人や責められてる人を必要以上に擁護すること

3 マタイ、マルコ、ヨハネともう一人は誰かわかるか

4 ——豪雨は、凄いにわか雨

5 昔の鉄道

6 良ければ宝くじに当たる？

7 浮説　都市伝説　風の便り

8 いくつもアルバイトをする人はよく書くと思う

11 新しい湖ができる建造物

15 プラスチックも没薬も

16 ——コンピューティングと——ファンディングでは、綴りが違う別の言葉

18 少し進化した大八車？

20 そば通は、これのつけ方にうるさいらしい

21 スマホより大きくて電話機能はないことが多い

22 むしろ普通なビール

23 昔の宗教画を見ると、極楽や天国より生き生きとした感じがするんだよな

24 黄色や橙色の花で、カレンデュラともいう

29 Uの他にIとJもある

30 英語だとジュース

31 グルタミン酸受容体で感じる第五の味

33 鍋つかみなどでよく見る、親指だけが分かれた手袋

35 英語だとクオリティー

37 早くハエになりたーい

⬇ タテのカギ

1 紫式部が生んだヒーロー

6 自分の考えじゃなくて、他人の——

9 どんぶらこのときにお爺さんがしていたこと

10 これを元の話に戻すときは、「閑話休題」と言う

12 ——を忘れる　——に返る

13 ぐでんぐでんは良くない

14 キュリー夫妻が発見した元素で、温泉の名前にもつく

16 丑三つ時に眠る

17 シュールレアリスムの代表的な画家といえば誰

19 降らないとラッセル車が活躍できない

20 何しけた——してんだ

21 昔の家

25 稲を刈るのも米を炊くのも

26 2人で1人を運ぶ、合理性はあまりない交通機関

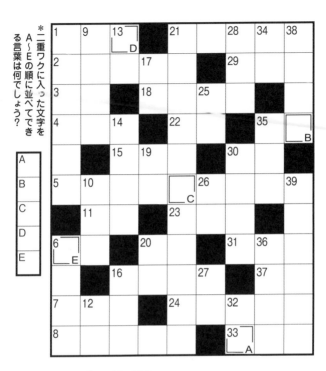

*二重ワクに入った文字を
A〜Eの順に並べてでき
る言葉は何でしょう?

A	
B	
C	
D	
E	

27 マフィアのボスっぽい敬称

28 文字も手紙も

30 バキュームのことだが本来
   はまったく意味の違う仏教
   語

32 夏を表す効果音になる昆虫

34 映画の続編の題名に多い

35 EP ←こんな感じの漢字

36 他人より優位に立たないと
   気が済まない人が取りがち

38 日本的な豚のカットレット

39 授業と授業の間に遊ぶぞ

36 めぐりあひたい

作●さくらぶ

➡ ヨコのカギ

1 裁判で有利な結論を得た
2 優秀ではない馬
3 英単語「最大値」の略語
4 品質の悪いものは頭に「屁」をつけられることが多い
5 キリンの首が伸びたり、人間の脳みそが大きくなったりする学説
6 人間3人が馬に
7 ハ長調のド
8 サッカーのチームを表す数字
11 ゴールリングやバックボードに当たってはね返ったボール
14 午前中によく着る（？）男性の正装
16 「世の中は色と酒とが——なりどふぞ——にめぐりあひたい」（大田南畝）
17 東京の中央部
18 プロテスタント教会で勤務
20 公衆衛生を担う行政機関
22 愛知県北西部の市を中心に作られている伝統的陶磁器
23 対外的な言動、服装
24 見晴らし眺める空間
25 川にダムを作るげっ歯目
28 大量の降雨がある様子

30 大量の降雨がある様子
31 王様や社長の地位の比喩に

⬇ タテのカギ

1 干潮のときにできる小さなプール
5 「開会の辞」から「閉会の辞」まで
9 雑誌の創刊号から先月号まで
10 ↔かい
12 手入れに墨を使うことも
13 手首や足首に掛けて行動を抑制するもの
14 群衆。町中で無関係だと思っていた人が踊りだす「フラッシュ——」
15 多くは顔の中央部に見られる小さい斑点
17 管の長さを連続的に変えられる金管楽器
19 言葉を適切な音程に合わせて発声したもの
20 自分の地位や名誉を失いたくなくて——をはかる
21 戦乱で破れても山河は残る
22 清き一票を投じる権利
24 原因のわからない火災
26 ——のつまりどうなったの
27 シ・チョウよりは小規模
28 0.1升

80

29 げんこつ

30 体脂肪計と兼用になるもの
もある

32 急いで焦って物事が行われ
る様子

33 ハイボールに使われる飲料
の1つ

37 楽しいピクニック

作●まいなすよん

➡ ヨコのカギ

1 ピクニックと似ていますが、こちらは俳句を詠みながら歩きます（嘘です）

2 ピクニックで歩くこともありますが、その場合はそれほど険しくないイメージ

3 弁慶の泣き所があります

4 ひけらかしのこと。クロスワードのカギは ── がない方がいいなんて、そんなのわかってらい！

5 さなぎを保護します

6 固体でも気体でもなく

7 おたがいに

9 ピクニックが楽しめる所も

11 よくわからないのです

13 土俵での力士の装束

15 生放送は ── タイムで進行

16 おおいます

18 広告が印刷された紙

20 ピクニックのために、ちょっと足をのばして

22 「ピクニックにでも行きたいなあ…ああ、誰もいないのについつぶやいちゃった」

24 ピクニックに持っていくお食事といえば

26 楽しいピクニックで、つい唇が奏でるメロディ

27 ピクニックでは新鮮なこれを吸いたい

28 国連などに仲間入り

31 評判のこと。── がよい

32 ピクニックを英字で書いたとき2回使う文字の1つ

⬇ タテのカギ

1 暖かくなりました。新学期前のこの時期を利用して、ピクニックに行きましょう

4 「せっかくのピクニックだし、サンドイッチを手作りしてみたの。自分では上手にできたと思うんだけど…どうかな？」

8 「ピクニックに行くよー」「じゃウチも行こうかな」

9 スノーの美称のひとつ

10 魚などを丸のままではなく、包丁などで分けた状態

11 ピクニックではゆっくりと、四季のこれを味わいながら歩きましょう

12 ゆでて塩を添えるだけで、ピクニックにもぴったり

14 絹織物のひとつ。表面に細かいしぼがあります

16 語らい。ピクニックでも仲間と楽しみたい

17 「ピクニック行きたかった

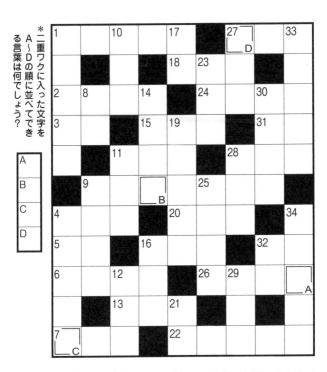

A

B

C

D

のに…（ぶつぶつ）」

19 仲間だと確認するため、あらかじめ決めておきます

21 公費ではなく個人のお金

23 ペットボトルやビンに貼られています

25 あるくこと。ピクニックなら目的地が多少とぉーくでも大丈夫

27 いろいろ悩んだり試したり

28 秋のピクニックはこんな木の紅葉を眺めるのもよい

29 たくさんのバード

30 さしあたりの状況

32 ハチと同時に取ろうとすると失敗するかも

33 ピクニックで歩き疲れたら

34 やせることを目的とした行為。ピクニックだと運動量が少ないかもね

38 けものももののけも

作●くだぎつね

→ ヨコのカギ

1 鯛やマグロの頭部を⤵9に見立てた豪快料理

2 地中を掘り進む動物、ではなく無許可でしていること

3 体を後ろにそらすとき使う

4 鉛筆削りを使うととがる

5 かつて中国で行われていた、官僚になるための試験

6 海老の名にもつく神宮の地

7 固有の動物が数多くいる島

8 地球の回転の中心

11 しっぽにシマ模様がある、ジャイアントじゃない動物

14 ハトやウサギを出したりすることもある芸

16 ボウリングのレーンや道路の端にあるくぼみ

19 おもに絵を描く芸術家

21 合唱団が有名な欧州の都市

23 食べ物を水につける習性がある動物

25 浮世離れした人は象牙のこれに住むとか

27 卵を隠したりする復活祭

29 具材のエキス抽出ずみ

31 おろして添えたりする野菜

32 人ではなく貨物が載る車両

34 節分に飾る風習がある魚

36 クイーンより少し小さいべ

ッドのサイズ

38 こんなメタルやアイテムはなかなか出ない

40 槍や剣先もいる海の生物

↓ タテのカギ

1 オーストラリア固有の、卵を産む動物

5 刃物と動物があわさったような姿の妖怪

9 戦いに用いる鎧（よろい）などのこと。馬具と一緒だと言いにくい

10 月を基準にしたカレンダー

12 恐怖のあまりゾッとする

13 実力者につき従うような人

15 アピールできる長所や利点

17 ムササビが飛行時に広げる

18 おもに足軽などが被っていた⤵9の一種

20 鼻の長い動物、ではなくお餅などが入った汁物

22 下がると体調を崩す人も

24 お店で押したりサーキットで走らせたりする

26 刀を鞘（さや）から抜くなりズバッ

28 背中のコブが特徴の動物

30 さらさらの雪はこんな状態

32 ここに沈んで入賞を逃した

33 ＡＩＵＥＯはこれじゃない

35 四大文明の一つを生んだ川

37 蝉の声が例えられることも

84

＊二重ワクに入った文字をA〜Eの順に並べてできる言葉は何でしょう？

A	
B	
C	
D	
E	

ある雨の一種

39 バチを使って響かせる楽器

41 猪がおとなしくなった動物

42 ちくちくする毛を持つ動物

43 オーストラリア固有の、袋とジャンプが特徴の動物

39 ライブ配信を始めた

作●SEIKO

➡ ヨコのカギ

1 夏の明け方にラッパ型の花を咲かせます
2 管弦楽団のことです
3 種々つければカラフルに
4 「財布を落とした」って言われたんだけど…──詐欺だったよ
5 ワイヤーやケーブルで繋がっていません
6 でんでんむしが出せと言われるもの①
7 かんぴょうの原料です
9 木星の第1衛星
10 ↔静
13 アボカドには──のバターの異名があります
14 無理が通ると引っ込みます
16 キャンドルから垂れます
18 内角の和は180度
20 支配人のいる宿泊施設
21 幽霊の場合は枯れ尾花？
22 地球の中心にあります
23 ──労働──賃金
24 ウィッグじゃありません
26 注射器の筒の部分
27 サイの出目で奇数のこと
28 ハマヂシャとも呼ばれる食べられる野草。漢字で蔓菜
29 推古天皇から見た聖徳太子

32 けして派手ではありません
34 ──の整った美しい肌

⬇ タテのカギ

1 徳川家の家紋に描かれている植物
4 リーンリーンとなく虫
6 雨がしとしと降り続きます
8 牛肉の部位のひとつ。ステーキに適しています
10 水を止めるために積むもの
11 東尋坊や三段壁が有名
12 言った、言わないで──を繰り返した
15 ノルウェーの首都
17 でんでんむしが出せと言われるもの②
18 洗濯物を掛けます
19 芋煮、いちご煮、牛タンなどおいしいものがいっぱい
21 ケイ素のこと。元素記号Si
23 伝統的な金属製打楽器
24 一、十、百、千、万、億、兆、京、垓、──、穣、溝
25 日本の子午線が通る市
27 ニシンやメバルなど。春の到来を知らせます
30 鬼皮や渋皮をむいて食べる木の実
31 歴史の授業に登場する皆様
33 地球に帰還する宇宙船が再

突入します

35 犯してしまったら償いたい

36 六十の──でライブ配信を
始めたよ

37 令和の４つ前の元号

40 コーヒー淹れましょうか？

作●はいカード優さん

➡ ヨコのカギ

1 コーヒーショップや喫茶店からも漂う、上品な芳香。――オイル、――テラピー

2 カラスの車が「カー」なら、ヤギの5月は？

3 物事の危険性を関係者で意思疎通する「○○ク○○ュニケーション」を略した語

4 ブラックコーヒーを「無糖」と表記の場合、甘いのは…

5 コーヒー豆のブランド名でもあるハワイの地名。挽いてパウダー状にするもよし

6 部屋の天井部にある窓

7 喫茶店は――も大事だが、大金を持ってないとねぇ

8 泡立てたコーヒー牛乳？

10 瑞々しさの象徴。身体だけでなく、声にある場合も

13 注文OKなら鳴らす店も

14 サッカーチームがイレブンならば、野球チームは？

15 ラムネやビールなどの飲料を入れる容器

16 頭・頬・顔の共通点

17 言わばコーヒー牛乳？

18 喫茶店名にも使う社交場。近年はオンラインのものも

19 コーヒー豆のブランド名。イエメンの地名…かも

20 お店、オープン！ ウォ！

21 通常バイクには2つある

23 フルーツサンドやパフェを鮮やかに彩る緑色

24 寒天やスライムなどゼリー状を指す言葉。わからないなら、ヒントあ・げ・る

25 『冬のユリゲラー』『コーヒーが冷めないうちに』は、喫茶店を舞台とした――。のちに映画化もされた

26 熱々のトーストにぬりたい乳製品。あんこも添えたい

28 君がユーなら、私は

30 サンド…といっても、具をパンで挟むのではなく

⬇ タテのカギ

1 お湯多めのコーヒー。実は米国はあまり関係ないとか

5 中米の国。コーヒーの産地

9 コーヒーを炒る

10 サンドイッチの定番の具。マヨネーズとよく合う

11 コーヒー　⬇12　マグ

12 コーヒー淹れましょうか？それともこっちにします？

14 ミルクの中でも加工処理がされていないもの。音読みだと「せいにゅう」

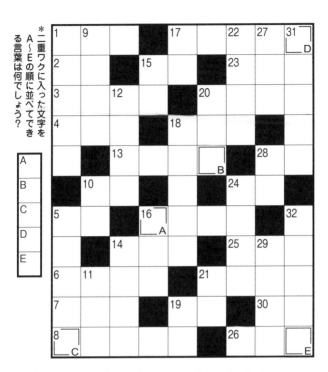

＊二重ワクに入った文字を A〜Eの順に並べてできる言葉は何でしょう?

A
B
C
D
E

15 「おいしい」や「うまい」をあらわす二字熟語

16 「おい、どーいう意味?」「おしりを表す言葉です」

17 コンビニや自販機で手軽に買える——コーヒー

18 蒸気圧を利用してコーヒーを抽出するガラス製の道具

19 飲み—— 食べ——

20 おはじき版ビリヤード的なゲーム。キャロムともいう

21 同人誌やZINEのことを——本や——版ともいう

22 改札にいたり、乗換え案内をしてくれたり

24 お座敷に華を添える女性のような、高級コーヒー豆のブランド名

27 将棋勝負のクライマックス

28 コーヒー豆を粉砕して挽く道具。見たことあります?

29 コーヒーをバリバリ淹れるスターのような職業

31 にじをごじで

32 ——コーヒーに入っているのはソーセージではなく、泡立てた生クリーム

41 最後まで貫く

作●あさり

➡ ヨコのカギ

1　看板に偽りあり
2　2月14日に恋人以外に贈るのはこれ
3　ドアロックをかけ忘れて、──荒らしの被害にあった
4　指切りげんまん
6　レトルト食品を袋のまま温める方法
7　後払い
8　月が太陽の真ん中を隠しリングのように見える現象
10　誰も到達していない場所
13　最後まで貫く
15　↔量
17　警察が大規模検挙で悪人を
19　──な性格で言いたいことを言えない
20　コツコツと──な努力を続けて夢をかなえた
22　試験会場での不正
24　前夜
25　都市計画が進められる──区域
27　持ち歩く暖房器具
30　春夏秋冬＋新年を表す言葉
32　馬の背中に取り付ける道具

⬇ タテのカギ

1　逮捕された──は取り調べ中だ
5　残業しても終わらないので休日──した
9　「応」は「應」の──
11　──知らず　──体
　　俗──　──擦れ
12　誕生日が来るたび1つとる
14　プライド
16　ラッコがお腹で割るもの
18　一筋縄ではいかない状況
20　戦いや対戦ゲームにおける縄張り
21　仕方なくする笑い
22　武士が来ていた衣服
23　動物の骨などから作られる接着剤
24　言葉などにふくみがある
26　漢字の読み方のうち、日本語由来の方
27　「生きた化石」と呼ばれる侍がかぶる防具に似ている節足動物
28　ホース、土管、ストロー
29　友好的でない気持ち
31　好意があることを示す合図
33　干潟に住む魚
34　神社内の踊りや音楽のための建物

*二重ワクに入った文字を
A～Fの順に並べてでき
る言葉は何でしょう？

1 A		12	18	21	23	26		33
		13					29	
2	9		19				30	F
3		14			27			
4			24					
	10 C					31		
5		15		25			34	
6 D	11		22					
7		20 B			32 E			
8	16			28				
	17							

A	
B	
C	
D	
E	
F	

91

42 後世に残していく

作●松風

➡ ヨコのカギ

1 コロナ禍で増えた会議形態
2 鬼やユニコーンにある
3 根回しのために反応を伺うこと
4 いとまがないもの
5 割→分→?
6 大きく打ち上げた野球のボール
7 セット商品の一部だけ欲しいときに便利
9 つかまえてパクリもぐもぐ
11 アメリカ軍人の懲戒処分である──除隊
13 尾っぽをフリフリ歩く鳥
15 昔の偉い人の2番目以降の奥さん
17 てかてかつやつや
19 ボートの競技会のこと
22 後世に残していくもの
24 うつらうつら
25 定時前だけどドロン
27 仏像のうしろにあるオーラ
29 辛くない唐辛子
31 ──降り　──崩れ
33 病が癒えました！　──祝いだ！
35 関西の人にとってはバカより柔らかい言葉
37 万年生きる

⬇ タテのカギ

1 割合のこと
3 黙秘権を行使しています
6 栴檀（せんだん）も幼いころは
8 洗濯物がはためく場所
10 生活必需設備
12 人生で成功を収めるとなぜか増える
14 ふらふら動く──台風
16 永久不変。──の国
18 年賀状とかお歳暮をこれととらえ廃止する流れもある
20 お寺の台所
21 ハワイ語で「はねるノミ」
23 絵を描いたり工作に用いたりする
25 恩返しのため鶴がおる
26 放置死体の成れの果て
28 身長のこと
30 いろいろと気をつけたほうが良い年ごろ
32 よどみに浮かんでいます
34 イスラム教の一派
36 コンバインやバインダーが活躍する
38 メディアで取材執筆する人
39 赤ちゃん用の医療機器
40 ロボットアニメなんかに登場する巨大な機械

* 二重ワクに入った文字をA〜Fの順に並べてできる言葉は何でしょう？

1	8		16	■	25 D	30	38
2		■	17	21			■
■	9 B	12			■	31	34
3			■	22	26		■
	■	13	18			■	35 39 E
4	10			■	27	32	
5 F		■	19	23		■	
■	11	14			■	33	36
6			■	24	28		A
■		15	20		■	37	40
7		C	■	29			

A
B
C
D
E
F

43 愛すべき人
作●チェバの定理

➡ ヨコのカギ

1 水辺にすむ特定外来生物。別名を海狸鼠（かいりねずみ）

2 オタマジャクシの呼吸器官

3 ごま油の効いた韓国料理

4 友を呼ぶと言われる

5 絵が陳列されている

6 「品詞」の品詞

8 親から子へ形質を伝えます

10 切手を貼ってポストに投函

12 海が陸地に大きく入り込む

14 尾根と尾根の間の低地。川が流れることも多い

16 プリンセスのこと

18 不祥事などで団体を追い出されること

20 ヒールとかスニーカーとか

23 贈り物に添えます

25 建築や労働については法で定められています

26 秋に出る雲。イワシが大漁に獲れる兆候とも言われる

27 寝床は間口狭く奥行き深し

29 上がったカッパは無力

31 ピノキオの鼻が伸びる原因

32 石に漱ぐ（くちすぐ）ときの流れの役割

33 現行犯ならだれでもできる

35 祭りでかつぐ

39 親子　　カツ　　海鮮

41 イチかバチかはるテスト前

⬇ タテのカギ

1 好きな⬇9でペイントして自分だけのイラストを完成

3 世界最長の河川

7 チューハイによく入る柑橘

9 緑茶は茶でなく緑

10 カエルの呼吸器官

11 「永遠」や「永久」と書いてこう読むことも

13 川の河口付近にできる三角州のこと

15 魚を売る市場

17 キリスト教で愛すべき人

19 鶏豚牛鴨羊馬鯨鹿猪

21 横書きの文だと上記、縦書きの文だと？

22 奈良を流れるのも徳島を流れるのもある──川

24 市場は豊洲に移転したが、場外市場は営業継続中

27 花札ではウグイスが止まる

28 海水に約3.5%含まれる

30 草木に水をかける道具

32 上に載った鯉はなすがまま

34 コロナ禍で『ペスト』が再注目されたフランスの作家

36 抜けた容器は役に立たない

37 兵庫県の名産「いかなごの──煮」

38 地下水のために掘る

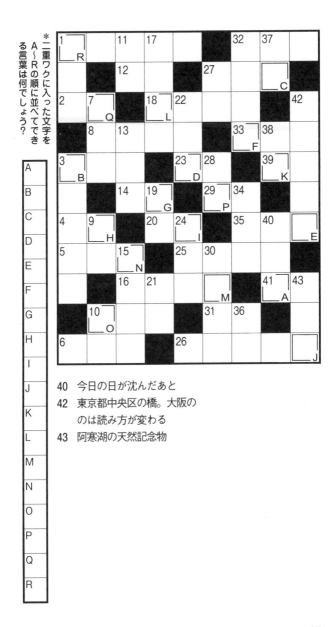

*二重ワクに入った文字を
A〜Rの順に並べてでき
る言葉は何でしょう？

A
B
C
D
E
F
G
H
I
J
K
L
M
N
O
P
Q
R

40 今日の日が沈んだあと

42 東京都中央区の橋。大阪の
　　のは読み方が変わる

43 阿寒湖の天然記念物

95

44 ザパーンでリラックス

作●冴戒椎也

➡️ ヨコのカギ

1 浜から沖に向かってスイム
2 神仏や偉大な人に対してお
　それうやまうこと
3 イチョウやマツは ──植物
4 回転寿司でもおなじみの胸
　びれが伸びたマグロの一種
5 酔っぱらって ──を巻く
7 雨漏りで床がビチャビチャ
8 社会的な立場。くらい
11 1月1日に見る朝日。海辺
　から見るこれも綺麗です
12 辞書を引いて調べたりする
15 メロディに乗せる言葉
18 海辺によく似合う高い樹木
20 ザパーンと立つ波の ──を
　聞くとリラックスします
21 家などを改装すること。な
　んということでしょう！
23 空気を入れて海辺で遊ぶの
　に使うビニール製の球
25 今日から⊖1が解禁だ！
28 悪いことをする仲間
31 仲間ではない人たち
33 ドリアンやマンゴーはトロ
　ピカル ──
34 お正月に飲むお酒
36 前半と後半の ──構成
39 元素記号Fで表される元素
40 浜で見られる有孔虫の死骸

のことを「──の砂」とも
42 正座などしないで、どうぞ
　──にしてください
43 温泉などを備えたリゾート

⬇️ タテのカギ

1 ヤドカリの住まい。海辺で
　綺麗なのを拾えることも
4 釣った魚を入れておきます
6 暗いロード。背後に注意
9 海よりは小規模な水たまり
10 修行を積んで、人に教える
　立場になりました
13 骨の ──まで味わい尽くす
14 海辺で目隠しをした人がよ
　く割ります
16 太いロープ。運動会で引く
　ことも
17 上品で洗練された様子
19 春の浜辺でアサリやハマグ
　リなどを拾い集めること
22 火事や人気などの勢いが衰
　えること
24 太平　大西　インド
26 お城でいちばん偉い人
27 怒るとぷっくり膨らむ魚
29 ずばり「海」を英語で？
30 空手で実際に2人で技をか
　けあうこと
32 パソコンなどの初期設定
35 上下に分かれた女性用水着

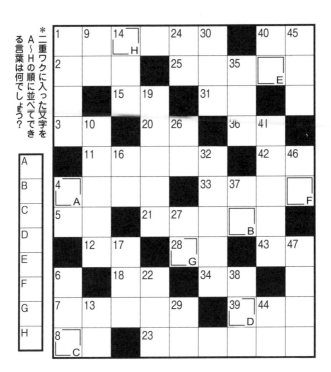

A

B

C

D

E

F

G

H

37 シチューやカレーにとろみをつける、いためた小麦粉

38 おじいちゃんとおばあちゃん

40 大袈裟なことを言うときにも吹いたりする大きな貝

41 バッハ、ベートーヴェンとともに三大Bと呼ばれるドイツの作曲家。代表曲『ドイツ・レクイエム』

44 英語で「2」。——ピース、——ショット

45 鴨居の真下にある建具。——が高い

46 ——を脱いで海に入ろう

47 浜辺に立てる日よけの傘

45 勇者の強敵

作●ひらやまひらめ

→ ヨコのカギ

1 はぁ～

2 はさみに勝ち、紙に負ける

3 一緒に暮らすまとまりのこと。――主

4 自動改札、缶切り、急須はおもにこの人たち用にデザインされている

5 バブルで上がり、リーマンショックで下がったものの代表格

6 人当たりの良さ。――のない店員だ

7 シャキッとした歯応えでみずみずしさいっぱいの秋の果物

8 一人の殻にこもり、世界と距離を置けるアイテム。最近はワイヤレスが人気

10 アシカの仲間で最も大きい

13 戦闘機の速度を示すときにも使われる。音速が――1

15 暗い場所でつける

17 雪の別名、漢字では六花。同じ読みでも二十四節気だと夏の始まり

19 たくさん歩くと足がこれになるときもある

21 音の伝わり。心地よいギターの――に包まれる

23 ユダがキリストを売り渡した報酬はこれが30枚

24 教育・勤労・納税は国民の三大――

26 ――使い ――少女 ――のじゅうたん

27 見せかけだけじゃなく中身も伴っていること。――のニューヒロインの誕生だ

29 人気はクリームやビーフ。寒い季節に恋しい料理

31 動物―― 人体―― ――室

33 汗を拭いたり、応援で回したり

35 あなた、おまえ、おぬしと同じ人を指す

36 子どもにも人気がある粒々の寿司ネタ

38 ――コンテスト ――ユニバース

40 空に架かるグラデーションのアーチ

42 盤上で白と黒が争う

↓ タテのカギ

1 とても大事。命の次に――

4 タクシー 交番 GPS

9 自分より地位が低い人

10 東京だけにある議決機関

11 目が届く範囲

*二重ワクに入った文字をA〜Dの順に並べてできる言葉は何でしょう？

A
B
C
D

12 小言の決まり文句「——の若いモンは…」

14 見上げると広がっている。宇宙との境はどこかな？

16 立ちこめる気象現象

18 マグニチュードは、地震の——を表わす数値

20 亡くなった人が残した物

22 あちこちからの寄せ集めでできています

25 丸めた背中に両手をついてぴょん！とする遊び

27 大事に預かること。遺失物を——する

28 弱—— 泣き—— 点取り——

30 美味しいパンを作るためにしっかりとこねます

32 手伝うときに貸して、味方になるときに持つ

34 ——書き ——報 要——

37 クリスマスの時期に需要が高まる木

39 おろしたての服の形容に使う、やや時代遅れの表現

41 色気と比べられがちな欲望

43 過ぎた時代を懐かしむ想い

44 勇者が戦う火を吐く強敵

46 盛り上がっちゃうぜ！

作●ヤンマー部隊隊長

➡ ヨコのカギ

1 頭に白いものが目立ってきたので黒くしよう

2 都市 プロパン

3 懐古。1990年代の文化のことを「平成──」と呼んだりします

4 ➡6がいるところ。時代劇では壺振りが「よござんすね？」と言ってるイメージ

5 母が僕より前に産んだ男

6 ギャンブルをする人

7 ここに道路を通して、このへんは商業地域にして…と考える、行政の仕事

10 ストーン業者。末尾が小さい文字だとドクター

12 咲いている花の数をかぞえる助数詞

14 性格がひねくれていない

16 メタボ診断のために測定します。男性は85cm、女性は90cmを超えると要注意

18 氷の上に抹茶とゆであずき

20 重力に引っぱられて落ちるリンゴが、移動する方向

21 フサフサしててウネウネで、やがて蝶か蛾になります

24 長髪は──ヘアー

26 元へと帰ろう、原点──

27 明日はイベント本番！ 景気付けに今晩から盛り上がっちゃうぜ！

30 「──の神様」といえば手塚治虫

32 声に利かせる刃物

33 ハイ ──ハイリターン

35 現実的、写実的

38 123456789÷123456789＝

39 レーズンを漬け込んだりする洋酒

41 小学校では工作とセットで教科になっています

⬇ タテのカギ

1 紙巻き煙草。昭和26年発売のお菓子の名前にも

5 大まか いい加減 大雑把

8 ──シーン ──スパート

9 種を取り除いたうめぼし。和え物などに使います

11 自分だけ得しようとする、──私欲に走った行動

13 米国西海岸の都市の略称。── Angeles

15 北海道を除く46の自治体

17 パオーン！

19 お肉がレアすぎた！ もっと火を通せばよかったぜ！

22 地面に打ち込む棒

23 あっスズメだ！ エナガや

*二重ワクに入った文字を A～D の順に並べてできる言葉は何でしょう?

A
B
C
D

ウグイスやヒバリもいる！
可愛い小鳥が──だなあ

25 一般的には逆境だが、スキ
ージャンプでは有利な状態

28 食パンの量を表す単位

29 仏像を作ったら入れよう

31 タイ語で「海老」のこと。
トム・ヤム・──

32 秋に、カシやクヌギやナラ
の木の下で拾えます

34 高級な箪笥（たんす）の素材になる木

36 罷業（ひぎょう）。ハン──、ゼネ──

37 電子タバコの使用済みカー
トリッジも、これの一種？

40 神事で使う弓の素材になる
木。漢字では「梓」

42 断面のことや、物事を分析
する視点のこと。2文字目
がレでも同じ

43 殻付きのままパエリアに入
れたりする魚介類。酒蒸し
にしてもおいしい

101

47 略称でも呼ばれる

作●モンチー

➡ ヨコのカギ

1 味付けしたご飯を薄焼き卵でくるんだ料理

2 公園の中でクリエイティビティが発揮される場所

3 レストランならコック、割烹なら？

4 突いたり投げたり横から入れたり

5 カタギではない方の読み

6 かかったらお医者様に相談

7 釣った魚を入れる➡35

8 消火のための水をこれでリレー

13 ご飯をグラタン風に調理した料理

15 果物を砂糖と煮詰めて長期保存可能に

16 動物園のインフルエンサー

17 名前ほど安いわけではない暖房器具

19 有名人が多く訪ねたお店にはたくさん貼ってあるかも

21 断面が円になるように大根やキュウリをカット

23 米を笹の葉などでピラミッド型に包んで蒸した中華料理

25 ご飯を豚肉や卵と一緒に油で炒めた中華料理

27 電離ともいう化学的現象

29 野球選手やタレントなど、あるジャンルの人物名を網羅

30 稲が実るより先に──買いすることも

32 ローカルな日本酒

34 ──編み ──絞り ──餅

35 ──の鳥はとらわれの身

36 一昔前の流行り言葉がなる

⬇ タテのカギ

1 武道家式の挨拶をする性別

3 おこげのついたご飯を具材と混ぜて食べる韓国風の料理

9 腕立て伏せで鍛えて厚くしたい

10 いわゆる資産運用です

11 父親はロバ、母親はウマ

12 回転── 覗き── 割れ──

14 詳しいね、──だねえ

15 名をとるか、こちらを取るか

16 米を魚介とともに平鍋で炊いたスペイン料理

18 外出先から会社に戻りました

20 オホーツク海や公園の池に

とじ重ワクに入った文字をA～Eの順に並べてできる言葉は何でしょう？

*二重ワクに入った文字を
A～Eの順に並べてでき
る言葉は何でしょう？

A

B

C

D

E

浮かぶ鳥

22 ファンや信者と対極の存在

24 ①3や⊖25の具材にもなる
漬物

26 「本日のミーティングでは
これについて話します」

28 米を特徴的な器で炊いた駅
弁でも人気の料理

30 ナシではない

31 叔と伯の使い分けに悩む

33 和歌山県と三重県の一部に
あたる旧国名

34 スポーツ―― 選挙――
マイ――

35 江戸時代のプロポーズアイ
テムの1つ

37 これで包んだ押し寿司は奈
良や和歌山の名物

38 TKGという略称でも呼ばれ
る米料理

39 藍染めの中でも濃いめの色

48 中段のパン

作●たいちゃん

➡ ヨコのカギ

1 砂浜を散歩、ペタリと残る
2 危うきに近寄らない人物像
3 日没を検知し通りを照らす
4 爺さんの一人称ぽい猛禽類
5 黒田清輝の『湖畔』で着用
6 片目でパチッとされドキッ
7 シャツにきかせてパリッと
8 博物館や工場でじぃーーー
13 英国式お茶会、中段のパン
14 円周の長さ＝──×円周率
15 内外の温度差で窓が濡れる
17 本因坊秀策も、藤井聡太も
19 本来は「復讐」という意味
20 柔道で消極的姿勢に与える
22 儲かるどころか資産目減り
24 背中がかゆいぞどこいった
25 「ブローカー」と訳したり
27 拡声器からピィーと耳障り
28 お酒よりスイーツ派ですね
31 個人情報がずらりなリスト
33 こんな晩に提灯はいらない
34 中トロコハダアジとかの具
35 出張に──のパンツ忘れた

⬇ タテのカギ

1 『羅生門』は代表作の1つ
9 中国史上初めての統一王朝
10 「先生」と呼ばれたりする
11 1──は1852メートルです
12 電動──自転車で坂道楽々
14 腐食に強く軽いレアメタル
15 注意1秒で避けられるかも
16 敷地に旧江戸城も含まれる
18 マウスをカチカチッと操作
20 ランドルト環ぽいローマ字
21 浪費せず堅実な暮らしぶり
23 スニーカーの泥除けを俗に
24 「聖母」をこう読むことも
26 突起にプスリ、生け花道具
29 仏教でいうところのカルマ
30 報道などで素性を隠す呼称
32 矛盾＝──が合わないこと
34 ランプの精が3つ叶えます
35 「面長」とか「卵型」とか
36 赤道直下エクアドルの首都
37 ガリレオが月の凹凸などを
　 発見したときに使った宇宙
　 をのぞく道具といえば

＊二重ワクに入った文字をA～Fの順に並べてできる言葉は何でしょう？

A	
B	
C	
D	
E	
F	

1	9	12		■	24	29		37
2			■	20 E			■	
	■	13	16			■	34	
3	10 C			■	25	30		
4		■	17	21	■	31 B		
	■	14			26		■	
5	11		■	22 A		■	35	
6			18	■	27	32		
7 F		■	19	23			■	
	■	15			■	33	36	D
8				■	28			

49 あなたではなくって？

作●原大介

➡ ヨコのカギ

1 日本にずっと昔からある言葉（このクロスワード盤面の真ん中あたりにはほとんど入っていないような）

2 サトウキビから作るアルコール

3 サラリーマンが月々もらう

5 「胃が苦痛、病院へ」という状況でお世話になる学問

6 カミナリの別名

7 バンバンジーやしゃぶしゃぶ時に登場するやつ

10 靴下にワンポイント。この「ワンポイント」を「縫い」でやるときの手法

13 チームの中で、あれこれ指揮する中心的人物

15 サラリーマンが仕事をしないが、サラリーは入る日

16 あなたは罪を犯したのではなくって？と思われてる人

17 「アリ」なやつから選ぶのではなく「ナシ」なやつをつぶしていく──法

18 北海道にも生息（エキノコックスに注意）

19 故郷から日本の首都へ！

21 「生」の代表的容器

23 ゴワゴワした生地でサイズが合わない服は──が悪い

25 昼から夜に移行する時間帯

27 あべこべな状態

29 車輪の中心にある部品。転じて、全体の中心となる重要な拠点。転じて、平成の将棋界の中心となった最重要棋士（これは嘘）

32 土にまきます

⬇ タテのカギ

1 ひなびた日本家屋にありそうな、麦とか稲由来の屋根

4 日本にずっと昔からあるわけではない、ほかの地域由来の言葉

8 伸び縮み素材界、不動のトップ

9 oil & fat

11 ナイスだったりタフだったりなのもいる、男

12 日──に寒さが強くなる早朝の時給は2割──です

14 春に卒業して、サラリーマンになります

17 下向きにぶらんとしてる。──ヤナギ、──ザクラ

18 ラフティングはこんなところでします

19 夜になると何かが出るという物件に祈祷師（きとうし）を呼んで、

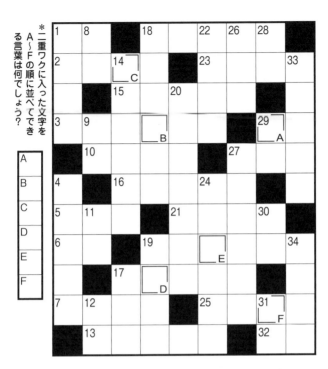

＊二重ワクに入った文字をA〜Fの順に並べてできる言葉は何でしょう？

A
B
C
D
E
F

――してもらいました

20 国立のもあるスタジアム

22 アドが下にぶらんとしているものもある

24 サラリーマン生活2年目、ベースがアップしました

26 急に悪くなったので、アポイント日時を変更した

27 はねのけたりする、よくない状態

28 額は小さく、手は借りたい

29 ――寝――起き ――合点

30 ほめることと悪く言うこと。――褒貶（ほうへん）

31 経年劣化で――が来てる

33 祖母所有のものもある、良い考えが詰まったやつ

34 ご飯を食べたあと横になり、気付いたらしていることも

107

50 皆様ごぞんじの昔話

作●あるかり工場長

➡ ヨコのカギ

1 カメ「竜宮城へ向かいます　道中、BGMのご要望は？」　浦島「音楽かけるの？」

2 カメ「本日、海流の乱れで激しい──が予想されます。

3 お体の──が悪くなったら添乗員にお申し出ください」

4 オモテがあればこれもある

5 水引が付いてて中には金銭

6 やっても良いもしくは駄目

7 カメ「お客さん、到着しました！　バグダッドです！」　浦島「どこ来てんだ！」

8 乙姫「最後に老人になる人いらっしゃいませ！」　浦島「──を先に言うな！」

11 将棋や囲碁に強い人の称号

13 ハト派から見たら反対の鳥

15 言わば海の水際の岩場辺り

18 とちおとめやあまおうなど

19 魚のように泳ぐときに装備

20 ──「カメに負けました」　浦島「お前は関係無い！」

21 ──「カメに追い付けない」　浦島「お前も関係無い！」

22 浦島「ツッコミ疲れたのでちょっとだけブレイク」

24 乙姫「この舞い踊りは現在連続公演記録更新中です」

26 カメ「無──無違反です」

27 何の事やらさっぱりと切る

29 浦島「そろそろお会計を」

31 カメ「お客さん、到着しました！　ホノルルです！」　浦島「どこ来てんだ！」

33 浦島「やっと帰ってきた！　随分と──にしてたなぁ」

35 仏教の修行をなさってる人

37 それってニセ情報ですよね

38 浦島「髪の色があああ！」

⬇ タテのカギ

1 ──「城の代理の者です」　浦島「何か深海魚来た！」

8 カメ「⬇9の影響によって機材繰りで、出発に──が出たことをおわびします」　浦島「機材操りって何？」

9 カメ「雨風が激しいです」

10 ⬇13「舞い踊り仲間です」

12 回ったり借りたり絞ったり

13 ⬇10「舞い踊り仲間です」

14 海の浮標識などの目じるし

16 浦島「来なきゃ良かった」

17 緑と黒の縞模様をした果実

19 浦島「ドレスコードOK！」

21 昔は建物が建っていたのよ

22 信号機の青と赤の間にある

23 ホテルなどの談話スペース

25 違うのですこの文は何かが

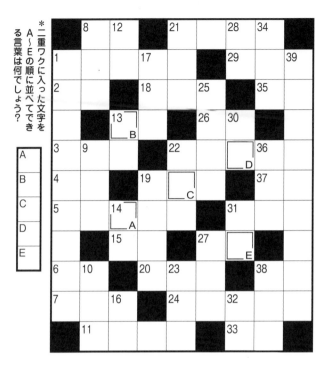

＊二重ワクに入った文字を
A〜Eの順に並べてでき
る言葉は何でしょう？

A
B
C
D
E

27 独特の節調で唄う伝統芸能
28 希少価値の（？）少し焼く肉
30 手のひらを返したら見える
31 痛くもないのに探られたり
32 浦島「姫と亀が共謀者だ」
34 環境保護で車の燃料になる
36 動物保護でフェイクもある
38 踊り食いという方法もある
39 アインシュタイン「竜宮城
　　が光速で移動していたので
　　彼の地元と竜宮城との間に
　　時間経過の差が出たのでは
　　という話もこれの一部」

51 自分だけは悪い

作●茶の湯

➡ ヨコのカギ

1 「使い捨て」を脱して環境に配慮する——な生活
2 「甘いものは——」の結果が↓23に
3 ハリウッドは大勢輩出
4 特別天然記念物の桃花鳥
5 ファン感謝　ホワイト
6 専用の棒もあり
7 フレンチな居酒屋
8 ウランの元素記号
11 あまり詰めるとあおり運転と思われるかも
14 あまり少ないと人間は水に沈む
16 ツーシーター
17 マンガと並んで日本が世界的な評価を受ける文化
18 紙をめくるかキーを叩くかして引く
19 ニュー——　——誌
21 獣がグルルと——上げる
24 薩摩守ともいう
27 コロンビア　グアテマラ　ブラジル
29 秋深き——は何をする人ぞ
30 ——以下切捨て
31 時計　自慢　立て伏せ
33 E・A・——は米の怪奇作家
34 面倒な問題はここに上げる

36 砂金やどじょうを掬う道具

⬇ タテのカギ

1 世界最高峰チョモランマの別名といえば
5 以前どこかで…そんなはずは…だがしかし
9 呑み込めば上達もはやい
10 結婚式で新郎が着てたり
12 イー　アル　サン　——
13 パウンドケーキは小麦粉、砂糖、卵とこれが同量
15 ゲレンデに連なる
17 鯉の刺身はこれで
18 舞踊で伴奏を担当
20 長男
22 なぜか皆自分だけは悪いと言う
23 肥えているし不健康
25 紙の通帳は廃止の方向に
26 ——ものには福がある
28 その札は疑わしい。——！
30 名犬ラッシーは
31 ——、ドス、トレス、クアトロ
32 昭和の喫茶店ぽいメニューといえばこの麺類
35 なるほど！そうだ！のとき打つ
37 最近は自転車運送が主流？
38 樽からジョッキに注ぐ

＊二重ワクに入った文字を
A〜Gの順に並べてでき
る言葉は何でしょう？

A
B
C
D
E
F
G

クロスワードパズル

1 9			17		23		31 37 G
2 C	13			24	28		
	14		22				
3 10						29	32
4		18		25 F		33	
11 E							
5		19				34	38
6	15			30			
	16 20		26 A				
7 12			27		35		
8 B		21			36	D	

111

52 基本的にはスポーツ

作●矢野龍王

→ ヨコのカギ

1 基本的には、個人戦／インドア／非球技

2 失敗を——にして困難を乗り越えていく

3 好プレイを連発する選手に熱いこれを注ぐ

4 アーチェリーの道具

5 基本的には、団体戦／アウトドア／球技

6 応募作の優劣を決める

7 剣道で竹刀についている輪

8 短距離走で選手が走るところ

11 競技開始前にトスして攻撃順を決める

13 基本的には、個人戦／インドア／非球技

15 左右に伸びた長い手の先におもりがついて、ゆらゆら揺れる玩具

17 タンポポの花が咲いたあとに現れる

18 野球で転がして犠牲になる

19 おしどり夫婦がともにするもの

21 呪いで使う釘のサイズ

24 暑い日の野良仕事で使われる帽子の材料

26 時間が来たらドカンだ、と

犯人から予告されるもの

28 徒競走の道具

30 麻薬や拳銃、ニセのブランド商品などを仕入れる

31 三人称の一種で、間近にいる人を指す

33 やることが大ざっぱでいいかげん

35 良や可よりもすぐれている

36 ゴルフコースで草がぼうぼうと生えているところ

37 衣服や帆布にもなる植物

↓ タテのカギ

1 基本的には、個人戦／インドア／球技

5 肩から提げられる小さなバッグ

9 弓道の選手

10 ；

12 トゲのある植物

13 正月と並ぶ帰省の定番

14 真剣はここにおさめる

16 ——つき≒わけあり

18 競輪で自転車が走るところ

20 阿鼻＞焦熱＞叫喚

22 最初に習う四則演算

23 基本的には、団体戦／アウトドア／球技

24 ∞であらわす——大

25 野球は違法、サッカーは合

＊二重ワクに入った文字をA〜Fの順に並べてできる言葉は何でしょう?

A
B
C
D
E
F

法化されているものもある

27 お通じのない状態

29 果汁をゼラチンで固めた菓子

31 試合中にベンチで出して応援

32 柔道やレスリングで互いにかけあう

34 土俵入りで横綱の前を歩く力士

37 「さき」の反対

38 野球でボールを取り損ねる

39 基本的には、団体戦／インドア／球技

53 スタートから終わりまで

作●KGEC

➡ ヨコのカギ

1 一つとせ♪とスタート
2 2人組
3 3よりちょっと大きい
4 四角のなかま
5 5番目のアルファベット
6 折ってつける線
7 身につけてるのは垢くらい
8 毛皮がお高いイタチの一種
10 オスはいない円筒容器
12 地球儀がほぼ青色の50%
14 こじつけてこねる
17 数なら*i*で表す
18 指令されるのをじっと待つ
21 アスファルトより風情あり
23 東から日が差すころ
24 ずきずきシクシク対策に
27 最後の最後の末の末
28 勘定してられないほど多い
29 ミセスは英語こちらは仏語
32 キノコやカビがのばす
34 茶摘娘の笠の素材
35 2をかけますと

⬇ タテのカギ

1 戻りたくても戻れぬ時間
3 しあわせばかりの楽園楽土
7 魚や蝶々を捕るのに使う
9 死んでいません生きてます
11 盾の役目のいくさぶね
13 大黒と並ぶ福の神
14 さざれ石にむす植物
15 疑う余地はありません
16 弁当箱やひきだし内で活躍
19 恐怖や寒さで粟を生じる
20 つけるために運動します
22 労をねぎらうパーティー
25 ロウソクのロウでない部分
26 仕事するため向かう場所
28 撃てども撃てども成果なし
30 のぼりにもなる淡水魚
31 降り積もったので目の保護
33 夜空できらきら輝くクズ
35 地面に落ちてぽんぽんと
36 果てにはよその国がある
37 果てなく増れれば至ります
38 ではこれで終わりにします

＊二重ワクに入った文字を
A〜Dの順に並べてでき
る言葉は何でしょう？

1	9	13		20			28	33	36
2				21	25				
	10		16						
3			17			29			37
		14			26		34		
4	11					27	30		D
5			18	22					
6		15		23			35		
	12		19			31			
7						32		38	
8				24					

A

B

C

D

115

54 興行大成功

作●熊金照代

➡ ヨコのカギ

2 二股とか5本指とか
3 見上げて仰ぐ
4 費用　原価
5 おもに男性を指す三人称代名詞
6 リフレッシュして養おう
7 力士の基本動作の1つ
8 月下氷人
10 字面だけでなく、その裏にあるこれもくみ取ってね
12 少々乱暴な病気や傷の手当
13 帯やリボンが昆虫の形に
16 暗中――
19 白濁していて独特の臭気のある――泉
21 ハサミと紙から森羅万象が
23 レコードといっても音楽よりはスポーツ寄り
25 十八番と書く得意技
26 ――払い　黄金――
28 キャンセル
31 短期集中型育成手段
34 大地の鳴動
36 バスや電車から降りること
39 決まった日に決まった場所で開かれるマーケット
41 温かさを演出するときには立ちのぼると効果的
42 すだれに編んで日除けに

⬇ タテのカギ

1 昭和の時代の夏用ズボン下
5 帰宅途中
9 川の流れを分ける尾根
11 カカオ由来の甘い飲み物
13 ある一定のエリア
14 経済的価値の有るものの塊
15 潰したり冷やしたりする臓器
17 うまい話にはたいていある
18 身につける防具
20 満席ではないのであります
22 ファッションリーダーは流行を――
24 興行大成功でスタッフに配られるお駄賃
27 支持政党はありません
29 日本の通貨
30 悪戦――
32 人混みに紛れて鞄やポケットから金品を拝借
33 昔からのいわれ　言い伝え
35 光を遮るとできる
37 十字路=四つ――
38 イケてる容貌
40 抜群　秀逸
43 怪人二十面相の約3分の1ってこと？
44 大胆な志に燃える人

＊二重ワクに入った文字を
Ａ〜Ｅの順に並べてでき
る言葉は何でしょう？

1		13	18		27	32	38	
2 9					28			43
3			19	24			39	
4		14		25		33		
	10		20			34	40	
5			21		29		41	
6		15		26		35		
		16	22			36		44
7	11		23		30		42	
8		17			31	37		B
	12							

A

B

C

D

E

117

55 作者やる気ゼロにつき

作●おく山みつゆき

➡ ヨコのカギ

1　■■作者からのお詫び■■
アロマ、瞑想、滝行…色々試しましたが、どうしたってやる気が出ません。ゆえに、どのカギの文章も途中までしか書けませんでした。大変申し訳ございません。ところで、「モチベーション」を和

2　現代では、美しいマダムや日本代表のバレ

3　塩で⤵33され

4　成る前は斜めにだけ移

5　カニ　トランプ　ゴル

6　毎回毎回そのたびご

7　ある漢字に形が似ていることから、⤵43とも呼

8　辛

11　困っている人を

14　ググる　バズる　エモ

16　恋するテニス無得

19　ベーシストはベース、ギタリストはギター。では、ボーカ

21　一方を海、三方を山で

23　気体の名が付いた歓楽

25　唯一飛べる桃太郎の

27　軍隊や漫画家が被

29　辛いことを苦と呼ぶのに対

31　IDとパスワードを忘れるとでき

32　痛そうな耳や舌や臍のアク

34　セルフィー　名古屋コ

36　KOで──に沈

38　地理や歴史は社会科。では、化

40　座って「着く」、結婚して「入

⬇ タテのカギ

1　ダーツならブルズアイ、米なら山形のオリジ

5　辞書等を参照しっぱなしな様子を、ある体の部

9　奥山家なら「奥

10　立てると怒る、顔面の水生生

12　円筒形。楽器や洗濯

13　駅ナカのは「清く」「気安く」の意味も込

15　横断歩道や文具メー

17　いやさすがに日本のはローマにまでは通

18　娯楽のみならず、軍事や航空写真や農薬散

20　これをしない生徒は「帰宅

22　作者「ヤバい…もしこのままやる気が出なかったらどうしよう…滝行するしかないかな…寒いのかな、痛い

*二重ワクに入った文字を
A〜Eの順に並べてでき
る言葉は何でしょう？

A
B
C
D
E

のかな、白装束はどこで買

24 弱肉強食の世界の「弱

26 一般的な遮光カーテンの居
場

28 あんこや百人一

30 2022年3月1日
出席者：作者、編集者
議題：クロスワードの件
内容：編集者がやる気を出
せと鼓舞。作者が滝行でも
してみますわと半笑いで返
答。その後、作者が白装束

32 トリオ÷3　コンビ÷

33 害虫を1匹残ら

35 語学で重要。なんかセクシ

37 お茶や双六のゴ

39 君とひとつ屋根

41 約3.3平

42 浜で目隠

43 作者が最高のクロスワード
を作ってクロスワード業界
で打ち立てようと思

119

56 「…はい　もしもし?」

作●茅ヶ崎うずら

➡ ヨコのカギ

1 もしもし

2 おとうさん

3 私

4 昨日

6 はなした

7 あの件、どうなってる?

9 唐揚げにしたの?　——ライスにしてって言ったのに

11 ちゃんとしてね

14 エイトの次は——でしょ

16 こどもたちとトランプで遊んでるのね。8持ってても意地悪しちゃダメよ

18 ああ、それは——用だから国内向けとは味が違うのよ

20 左近は桜。そっちは右近

22 香車の別名って今度は何?　ああ、クイズ出されてるの

23 もう、みんなの言いなりになって…ほんとに——ね

24 12月生まれは大体——座よ

26 包丁が切れなかった?　ごめん、——買っておくわ

28 あの——はほどかないでね

29 公園の脇の路地を通って怒られたの?　あそこ奥の家の——なのよ

31 ——は泊まってくれる?

33 働く女の——があるから遅くなるの。女性の集まりよ

35 私、こう見えて課長だからね。世に言う中間——職

38 音楽と金属と自動車に共通するもの?　——よ——。まだクイズなのね

40 コーヒーにお砂糖と間違えて入れちゃった?　あらま

⬇ タテのカギ

1 あの懐中電灯に入れるのは単一じゃなくて単三よ

3 そういえばおばさん——に帰っちゃったんだって?　単なる里帰りじゃなくてね

5 おじさんには——問題ね。家事はできない人だから

8 埼玉県の夜祭で有名なところ?　——じゃない?

10 ——で有名なのは西芳寺(さいほうじ)

12 桜田門外の変でやられたのは——大老

13 マタギが仕掛けるものって——でしょ。まだクイズやってるのね

15 もうやめなさいよ

17 イエデンにあってケータイに無いもの?　——でしょ

19 だんだん正統からはずれてきたわね

21 それは唐揚げよりおでんの

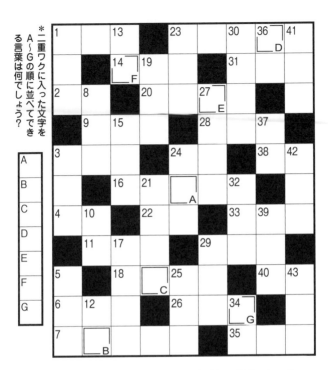

＊二重ワクに入った文字をA〜Gの順に並べてできる言葉は何でしょう？

A
B
C
D
E
F
G

方が合うんじゃない？

23 来週カラオケに行くの？
好きねえ ——なのに

24 たくさんの赤い鳥居といえ
ば、伏見——よ

25 ——読みの食べ物…甘食！

27 サバの押し鮨。え、クイズ
じゃなくて冷蔵庫にある？
あれ賞味期限切れてるかも

29 ガッカリした？

30 えー今度ハワイに行くの？
いいわねえ ——の島

32 ホテルは——だから寝にく
いってハワイのホテルに和

室は無いんじゃない？

34 ハワイにも——がいるの？
へえええ奈良みたい

36 ポチは——階の家の犬よ

37 ——の猫はおとなりのタマ

39 おとうさん、本当に頼りに
なるねえ。親子っていうよ
り——って感じ

41 え、照れてるの？ 実は恥
ずかしがり屋、——なのね

42 ——抜きの達人とは思えな
いわ

43 そろそろ——にするわね。
切るわよ、じゃあね

121

57 遭遇は多分朝

作●静山怒

➡️ ヨコのカギ

1 首をひねれば鳴る子もある
2 チャイナ服のチラリズム
3 ポパイと解く。その心は船を出てオリーブに出会った
4 油は傷薬、口は小銭入れ
5 夢中で喋ってたのよ
6 「君の吐息が僕を酔わせる」とお巡りさんに告げられた
8 十両はこれの外でこれの上
11 投影幕は死ぬ直前の脳裏
12 指3本で人形の動きを表現
14 ネックに巻くのにネックレスとはこれ如何に
15 ゴルフでの距離単位。碼
17 竹に紙貼りの軽い造形物
18 パス── クロス──
20 1週間使ったあと返品可能のお──キャンペーン実施中！
23 祈願成就には千羽ひと絡げ
26 落語のショートショート物
28 影踏みが接近戦となるころ
29 鮟鱇「俺のは付けダレだし」鰻「俺のなんて汁の実だぜ」
30 アダムの喉にひとかけ残る
32 聞くだけ──さ、と質問をはぐらかす
33 北米を侵略してる秋の七草

⬇️ タテのカギ

1 畔にブレネリの家がある
3 ペンチとハンダで作る造形
7 足で入れる打撃技
8 狙うは真ん中の雄牛の目
9 コーデ次第の荷駄牽引業者
10 図らずもの負の加速度発動
13 犯罪者の訳あり青天白日
16 楊貴妃が傾けさせた国
17 古墳から出土する素焼きの人形たち
19 オーシャン── ストリート──
21 親人形の中から子人形出して子人形の中から孫人形…
22 ──雛 ──茶碗 ──岩
24 パソコンの裏のあまりの多さに快刀乱麻の語が浮かぶ
25 名も売れず身も売れぬ魚たち
27 付和雷同して乗る後部座席
29 スクラップブックの編集法
31 「我かんせず」と飲む酒
33 カンダダとの遭遇は多分朝
34 ひとつ去ってまたひとつ
35 絞首し斬首するも天気次第
36 出初め式の高所ステージ

*二重ワクに入った文字を
A～Dの順に並べてでき
る言葉は何でしょう?

1	7	10		20	22	27		35
2		A	16		23	B		
		11		21				
	8					28	31	
3			17		24		32	
		12						
4	9		18				33	
5		13				29		
		14	19		25			36
6		D			26	C	34	
		15				30		

A

B

C

D

123

58 旅情ゆたかに

作●真良碁

➡ ヨコのカギ

1 山形県など東北地方の名物。河原で大人数で食べることもあります

2 鳥取県から見た島根県の方角

3 昔の履物。『おくの細道』の旅で芭蕉は何足履きつぶしたのでしょう

4 出雲大社や気多大社、弥彦神社などで引きます。出雲大社のには、吉や凶の文字は書かれていません

5 暖かい海に育つ刺胞動物。佐渡島近海でも見られます

6 石川県の小松空港は、航空自衛隊の――にもなっています

7 これと金箔を用いた蒔絵は、石川県の伝統工芸です

10 プルンとした食感の水生植物。秋田県の名産です

11 北陸から山陰にかけての名産。松葉ガニ、越前ガニなどともよばれます

13 効力　効能

14 儒教の祖とされる思想家

15 何事もこれをおろそかにしてはダメ

16 クジラの仲間。新潟県の上越市立水族博物館うみがたりの人気者です

21 秋田県の県の魚。『秋田音頭』にも登場します

23 福井県では恐竜のこれがたくさん見つかっています。かつやま恐竜の森では、発掘体験もできます

24 段や殻や殿の部首

25 別称　通称　愛称

27 海の中を漂います。鶴岡市立加茂水族館は、これの水族館として人気です

28 信号の色の１つ

29 ――ひまかけて作った料理

⬇ タテのカギ

1 秋田県湯沢市の地名。うどんで有名です

5 海岸にひろがる鳥取――、駱駝にも乗れます

8 青森県から秋田県にまたがる世界自然遺産。ブナの林が見事です

9 空中の水滴によって太陽光が分散されてできます

11 仏像などをいれる仏具。玉虫の羽を貼ったものは有名

12 冬の間、北陸地方などによく降ります

14 日本最古とされる歴史書。

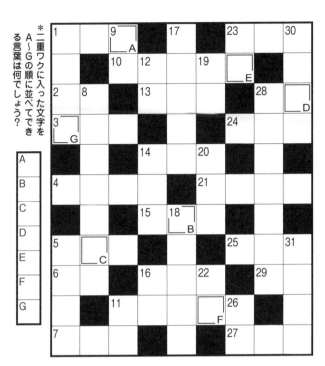

因幡の白兎や八岐大蛇の話も出てきます

16 大きな石の塊

17 富山湾の神秘。海の向こうに不思議な景色が……

18 富山湾などに生息する発光する生物

19 因幡の白兎に騙された「ワニ」とはこれのことだとする説も。しまね海洋館アクアスで色々な種類が見られます

20 門下の人を指導します

22 百万石といえばここ。今の石川県の南半分です

23 越後の武将上杉謙信のライバルは、――の武田信玄

26 江戸時代の人は、あまり食べませんでした

28 日本三景の1つ。京都府宮津市にあります

30 芭蕉も訪ねた秋田県の景勝地。1804年の地震で隆起し、陸地化しました

31 秋田県男鹿地方の伝統行事。ユネスコの無形文化遺産、「来訪神：仮面・仮装の神々」の1つです

125

59 トップレベルです

作●A（C）

➡ ヨコのカギ

1　トップレベルの選手だと、42.195kmを2時間以内で走る
2　ゴルフ場の中でも人工的
3　下水道が普及しつつある時代のマンガやアニメで、空き地に置かれていた
4　北京ダックはこっちがおいしいところ
5　水晶振動子の遠い先祖
6　銅剣や銅鐸の文化を終わらせた素材
7　ここまではよしと見るか、これ以上はダメと見るか
8　ダンベルの直訳。振っても音は出ない
11　等身大か、ちょっと大きい
14　空気の浮力を利用する
16　戦争や抗争や論争への備え
20　自分の思いがわかっている、ということがわかっているということが…
22　成熟すると固着して動かない動物。生殖器は長い
24　路面電車や人工衛星が通る
25　日差しや人目をさえぎって、風を通す建具
26　海水温が上がれば今まで以上に暴力的になる
27　生まれた土地、あるいは納税しようとする自治体
30　表には出なくても、勘定や人事をにぎっている
31　雑誌や新聞でわかる時の流れ
33　豆がもやしや豆苗になる
35　ラジオ番組のアシスタントやリスナー
37　財産を世間に還元
39　かまくらの建材

⬇ タテのカギ

1　二重構造の建具。使い方はネコのドアに似ている
4　リアルに存在する、注文の多い料理店
9　ラピスラズリの色
10　平面的舞台装置
12　魚肉の練り物は通常、常温で保存するため加熱してあるが、これは生のままでも売り物になる
13　回覧板に順番に押印するのは、イヌが電柱にする行動に似ている
15　打撲のあとのふくらみ
17　御神酒徳利のワンセット
18　万年筆やマーカーの中身。古風な表現で、プリンターには向かない

*二重ワクに入った文字をA〜Fの順に並べてできる言葉は何でしょう?

グリッド内の番号

1	9 [B]	13	18	■	31	36 [C]	41
2	■			27			
■		14	23			37	
3	10	■	24	32			
	11	19		33	38		
4 [A]	■	20	28		39 [D]		
5	15	25	34		■		
■	16	21	35	42			
6	12	22	29				
7	17	30	40				
8 [F]	■	26			[E]		

A
B
C
D
E
F

19 走者が走る、内野手が守る

21 かつては日本製の半導体が世界を席巻したが、デバイスよりこっちの価値が大きいことに、まだ気づいていなかった

23 二層構造の建具。寒気を気にせず景色が見られる

27 各地の気候、地理、習俗

28 体重計、AMラジオ、オーブントースターの補助単位

29 貯金はないけど、あることにしよう

31 1月の20点札

32 復古や現状維持をよしとするグループ

34 あまりにも人間離れした、崇敬の対象

36 王の配偶者

38 煎餅がぬれ煎餅になってしまった今日このごろ

40 急カーブで外側、急ブレーキで進行方向にかかる

41 JRの初乗り運賃での遠回りは、このルートでないといけない

42 目に見えて明らかな、効果や天罰

60 国民的人気者

作●遠藤郁夫

➡ ヨコのカギ

1 いまだにうずく、過ぎし日の心の傷痕

2 LGBTを構成する「G」

3 アダムとイブの長子で、旧約聖書が記す最初の殺人者

4 他へ波及するとんだ厄介。例：ドタキャンの穴埋め

5 今となっては過去のこと

6 先行きが読めず対応手遅れ

7 新約聖書が記すエルサレム郊外の丘。イエスの磔刑地で世界的に有名

9 『サザエさん』を国民的人気者にした漫画家

11 英国の海洋探検家の名を冠する、南太平洋の島嶼。主島はラロトンガ

13 元気な体に戻すべく、日々の治療に頑張る部屋

14 ぎりぎりの瀬戸際で、クルリンパッのどんでん返し

16 菓子。保存食にもOK

19 ネットインサーブの仕切り直し

22 14世紀からメキシコに栄えた王国。1521年、スペインのコルテスが滅ぼす

24 蟻の危機管理を学習し、金品を熱心に貯め込む所業

26 古代ローマの竈の女神。ギリシア神話ではヘスティア

28 ギリシア神話の愛の神。ローマ神話ではアモル、またはクピド

29 偽造を防ぐ紙幣の隠し文様

31 スペインの宮廷画家。『裸のマハ』『着衣のマハ』

33 ゾラの長編小説。女優が男性遍歴して自滅するお話

⬇ タテのカギ

1 極細短小の突起物。ちくっと刺す厭味な言葉

3 乳製品・小魚に多い、歯や骨を形成する成分。元素記号はCa

6 昼食終了、1日の残り半分

8 合掌低頭し神仏をうやまう

10 米国で瓶の残り酒を混ぜて飲んだのが起源、というまことしやかな俗説がある

12 神経は繊細かつ小児科常連の病弱な体質をいいます

15 スペインのアンダルシア地方の都市。ピカソの生地と甘味の強いデザート用ワインで有名

17 三角関数のコタンジェント

18 クノッソス宮殿の遺跡が観光名所のエーゲ海の島

129

＊二重ワクに入った文字を A～Dの順に並べてできる言葉は何でしょう？

A
B
C
D

20　広東省東部の港湾都市。レース編み製品は人気が高い

21　ワインを貯蔵したり、非公開資料を放り込む部屋

22　甘い言葉で誘惑し堕落させるヤツ。キリスト教を支えるアンチテーゼ宿敵

23　子が生まれて約1週間後、枕下げとも呼ばれるナイト

25　中身はさておき、議員数は最多の政権政党

27　点検項目の照合表

30　裁量の範囲内で、ほどよく加える温かい思いやり

32　リトアニア共和国第2の都市。かつてバルト海と黒海を結ぶ交易で繁栄

34　屋根葺き用のイネ科の植物

35　古代ユダヤ人が待ち望んだメシア。ギリシア語ではキリストという

36　薪割り、枝打ち用の刃物

こたえ

なるほどそれかあ、と
うなったり
うなずいたり

1

ス	タ	ー	ト	■	タ	タ	リ	メ
ク	イ	■	ラ	セ	ン	■	ク	ニ
ラ	ム	ネ	■	イ	カ	リ	■	ユ
ム	■	ラ	ク	ゴ	■	バ	レ	ー
■	ク	イ	ズ	■	ド	イ	ツ	■
ハ	ス	ウ	■	マ	キ	バ	■	マ
ツ	■	チ	タ	イ	■	ル	ツ	ボ
ユ	カ	■	ス	コ	ア	■	イ	ロ
メ	ン	セ	キ	■	イ	ノ	シ	シ

ユイイツムニ

2

タ	ピ	オ	カ	■	イ	モ	ホ	リ
バ	ー	■	カ	タ	ン	■	ル	フ
■	マ	エ	ア	シ	■	モ	モ	■
オ	ン	ス	■	ヤ	キ	リ	ン	ゴ
オ	■	カ	キ	■	レ	ア	■	ゼ
バ	ス	ル	ー	ム	■	ワ	イ	ン
■	ゴ	ゴ	■	シ	ヤ	セ	ツ	■
シ	ロ	■	ス	キ	マ	■	ケ	チ
チ	ク	ゼ	ン	■	メ	レ	ン	ゲ

ロールケーキ

3

シ	ユ	ウ	ニ	ユ	ウ	■	ハ	ブ
オ	ウ	カ	■	ア	マ	ガ	エ	ル
■	ベ	■	シ	ミ	■	カ	ヌ	ー
ニ	ン	ジ	ン	■	ツ	■	キ	チ
ク	■	ク	ジ	ラ	マ	ク	■	ー
リ	コ	■	ユ	■	サ	シ	ミ	ズ
ヨ	ウ	イ	■	ハ	キ	■	チ	■
ウ	タ	マ	ク	ラ	■	ア	ク	タ
リ	ク	■	チ	ン	ゲ	ン	サ	イ

シキサイ

4

ス	ド	マ	リ	■	カ	ピ	バ	ラ
ポ	テ	ト	■	ア	ゼ	ン	■	ン
イ	■	イ	カ	リ	■	セ	ツ	パ
ト	ラ	■	ワ	■	バ	ツ	■	ク
■	チ	ヨ	ウ	コ	ク	ト	ウ	■
オ	■	ス	ソ	■	マ	■	キ	タ
オ	モ	テ	■	カ	ツ	ラ	■	ン
ゼ	■	ビ	エ	ン	■	ツ	バ	サ
キ	リ	ト	リ	■	ニ	コ	チ	ン

アトサキ

5

オ	ム	ス	ビ	■	オ	オ	ム	ギ
ジ	ダ	イ	■	**カ**	バ	ー	■	ン
ヤ	■	ハ	ヤ	シ	■	ト	オ	シ
■	マ	ン	マ	■	カ	マ	■	ヤ
ケ	チ	■	モ	メ	ン	■	**モ**	**リ**
チ	■	**セ**	リ	■	コ	グ	チ	■
ヤ	グ	ラ	■	オ	ク	ラ	■	**イ**
ツ	■	ピ	ラ	**フ**	■	タ	カ	ナ
プ	レ	ー	ン	■	ド	ン	ブ	リ

フリカケ

6

ア	ク	セ	ル	■	タ	イ	マ	ツ
タ	イ	ツ	■	ロ	ビ	ー	■	イ
ツ	■	ク	イ	イ	ジ	■	ヤ	ス
ク	ウ	■	ツ	ヤ	■	ア	ン	ト
■	タ	イ	ト	**ル**	マ	ッ	チ	■
ジ	ヒ	ツ	■	ゼ	イ	■	ヤ	ド
ユ	メ	■	ヤ	リ	ク	リ	■	ウ
ー	■	タ	ブ	ー	■	**コ**	ユ	キ
ス	ミ	コ	ミ	■	ユ	ウ	リ	ヨ

ルージュ

7

マ	ユ	ゲ	■	カ	フ	ェ	**ラ**	テ
サ	イ	ド	ミ	ラ	ー	■	イ	キ
オ	イ	ウ	チ	■	ド	ス	ウ	■
カ	ツ	■	バ	ネ	■	キ	ン	カ
シ	■	カ	タ	**グ**	ル	マ	■	レ
キ	カ	イ	■	セ	ツ	■	サ	サ
■	イ	ロ	ハ	■	ク	ウ	ウ	ン
ト	ラ	■	ア	イ	ス	ダ	ン	**ス**
コ	ン	タ	ク	ト	■	ツ	ド	イ

サングラス

8

ハ	ナ	ミ	ザ	ケ	■	ハ	シ	ケ
ミ	ゾ	レ	■	サ	ゴ	ジ	ョ	**ウ**
■	ナ	ン	カ	■	**ム**	サ	シ	■
ホ	**ジ**	■	レ	キ	■	ラ	ン	チ
ウ	■	ユ	キ	オ	ロ	シ	■	エ
ヒ	ノ	メ	■	モ	ン	■	**ウ**	ス
■	コ	ウ	**ジ**	■	ゲ	カ	イ	■
ウ	リ	ッ	ク	ス	■	ケ	ー	ス
ゴ	ガ	ツ	■	タ	カ	ラ	ク	ジ

ウゾウムゾウ

9

ス	イ	ス	■	オ	ン	ド	**ケ**	イ
ズ	ワ	イ	ガ	ニ	■	ク	サ	リ
シ	■	カ	**ツ**	オ	ブ	シ	■	ョ
ロ	グ	■	コ	ン	■	**ヨ**	コ	ウ
■	リ	ソ	ウ	■	ウ	カ	ツ	■
タ	ス	ウ	■	カ	ワ	■	プ	ア
マ	■	マ	ヨ	イ	バ	**シ**	■	タ
ネ	ッ	ト	■	オ	ミ	ワ	タ	リ
ギ	ュ	**ウ**	ド	ン	■	ス	ル	メ

ケツシヨウ

10

ヌ	マ	ヅ	■	カ	ゼ	タ	チ	ヌ
リ	**ロ**	■	ヌ	シ	■	カ	ヌ	レ
カ	ン	ヌ	キ	■	**カ**	**ラ**	■	ギ
ベ	■	ガ	■	キ	ヌ	■	エ	ヌ
■	ア	ー	ル	ヌ	ー	ボ	ー	■
カ	ワ	■	ビ	タ	■	ウ	■	セ
イ	■	ヌ	ー	■	コ	シ	ア	ン
イ	ト	マ	■	**バ**	ネ	■	イ	ヌ
ヌ	ン	チ	ャ	ク	■	タ	ヌ	キ

バライロ

11

ケ	ン	コ	ク	■	カ	タ	カ	ナ
イ	■	ド	リ	ア	ン	■	ヤ	マ
ロ	コ	モ	コ	■	ド	ウ	■	イ
ウ	ン	■	シ	ョ	ウ	ガ	ヤ	キ
■	キ	タ	■	ウ	■	イ	マ	■
シ	ョ	ウ	ゲ	キ	ハ	■	ブ	ケ
ヨ	■	エ	ツ	■	チ	ョ	キ	ン
ウ	ミ	■	シ	シ	マ	イ	■	ポ
ジ	ン	ジ	ャ	■	キ	ン	ロ	ウ

ガンジツ

12

カ	ブ	ト	ム	シ	■	ゾ	ウ	カ
ウ	カ	ツ	■	ジ	ユ	ウ	ニ	シ
ン	■	カ	ニ	■	キ	リ	■	ヨ
ト	ホ	■	モ	ネ	■	ム	コ	ウ
■	タ	ツ	ノ	オ	ト	シ	ゴ	■
イ	ル	カ	■	キ	ソ	■	エ	イ
ン	■	イ	ス	■	ウ	ス	■	ブ
サ	ル	ス	ベ	リ	■	ズ	カ	ン
ツ	リ	テ	■	ス	ル	メ	イ	カ

ホニュウルイ

13

タ	ケ	ト	ン	ボ	■	ネ	マ	キ
ケ	ン	チ	■	ウ	オ	イ	チ	バ
ウ	■	ギ	ョ	フ	ノ	リ	■	ラ
マ	ヒ	■	カ	ラ	■	ス	メ	シ
■	ノ	レ	ン	■	フ	ト	ン	■
オ	デ	ン	■	フ	シ	■	マ	タ
ヤ	■	ト	リ	ミ	ン	グ	■	ク
ユ	キ	ゲ	シ	キ	■	レ	キ	シ
ビ	ジ	ン	■	リ	ピ	ー	タ	ー

カイシンゲキ

14

ナ	マ	タ	マ	ゴ	■	カ	キ	■
イ	■	ツ	ツ	■	パ	ジ	ャ	マ
フ	ナ	■	カ	ジ	ノ	■	ク	キ
■	ラ	メ	■	イ	ラ	カ	■	ガ
バ	ク	ハ	ツ	■	マ	エ	ガ	ミ
シ	■	ナ	イ	ジ	■	ル	イ	■
ヨ	カ	■	ホ	ン	バ	■	シ	タ
ウ	イ	ロ	ウ	■	シ	ト	■	ー
■	バ	グ	■	シ	ャ	ン	ソ	ン

トツキヨ

15

ト	ウ	■	ソ	ラ	イ	ロ	■	カ
ウ	ワ	ア	ゴ	■	コ	ウ	フ	ン
ジ	ベ	タ	■	ハ	ン	■	ダ	シ
ツ	■	リ	ツ	カ	■	コ	ン	キ
■	オ	マ	ツ	リ	サ	ワ	ギ	■
サ	シ	エ	■	ウ	マ	レ	■	カ
ツ	ヤ	■	ホ	リ	■	モ	ツ	レ
ク	レ	ヨ	ン	■	ツ	ノ	ブ	エ
ス	■	セ	イ	レ	キ	■	シ	ダ

リツシンベン

16

コ	ク	ハ	ク	■	コ	ウ	シ	ド
イ	ー	ト	■	カ	タ	オ	モ	イ
ビ	リ	■	ブ	ー	ツ	■	ベ	ツ
ト	ン	グ	■	ド	■	カ	■	ゴ
■	グ	レ	ゴ	リ	オ	レ	キ	■
ミ	■	ン	■	ー	■	シ	ン	ピ
ナ	シ	■	シ	ダ	イ	■	チ	カ
ラ	ブ	レ	タ	ー	■	マ	ヨ	イ
イ	キ	ツ	ギ	■	キ	ユ	ウ	チ

キューピッド

17

ラツキヨウ

18

クローブ

19

ヘンカク

20

ポイント

21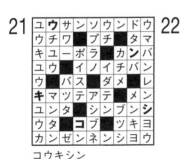

コウキシン

22

ドンブリ

23

	フ	ラ	イ	ト		カ	イ	シ
ク	ロ	ー	ク		マ	モ	ノ	
チ		メ	サ	キ		シ	チ	ヤ
キ	ヒ	ン		ヨ	フ	カ	シ	
キ	ラ		ジ	ク	ウ		ラ	ク
	ア	ゴ	ヒ	ゲ		ネ	ズ	ミ
キ	ヤ	ク		イ	ケ	ン		ガ
	マ	ア	イ		イ	レ	ズ	ミ
リ	リ	ク		テ	コ	イ	レ	

レクチヤー

24

ム	ジ	ン	ト	ウ		コ	ス	メ
イ	エ		ア	キ	ノ	ト	ナ	リ
シ	イ	ノ	ミ		ウ	シ		ツ
キ	ギ	レ		ウ	ミ		ヒ	ト
	ヨ	ン	リ	ン	ソ	ウ	ダ	
オ	ウ		カ	モ		ス	リ	ミ
シ		カ	オ		ア	イ	ウ	チ
イ	チ	モ	ン	ナ	シ		チ	カ
レ	イ	ク		イ	タ	ミ	ワ	ケ

メイジン

25

フ	ガ	ク		タ	ニ	ワ	タ	リ
イ	ツ	カ	イ	テ	ン		イ	ン
	サ	ン	チ		キ	フ	ク	
ク	ク		ニ	ス		ア	ツ	カ
ウ		バ	ン	ガ	ロ	ー		ナ
キ	オ	ン		オ	ク		マ	メ
	ウ	ジ	コ		オ	カ	ン	
ハ	ト		ジ	モ	ン	ジ	ト	ウ
イ	ツ	ケ	ン	ヤ		ユ	ル	ミ

モンガイカン

26

フ	チ	ユ	ウ	イ		ユ	カ	リ
ウ	エ		ド	ロ	ボ	ウ	ネ	コ
フ	ツ	テ	ン		ウ	ズ		シ
	ク	マ		シ	ヨ	ウ	ブ	ユ
カ	イ		ワ	ガ	ミ		ブ	ギ
モ	ン	ス	タ	ー		ペ	ン	
ノ		パ	グ		カ	ケ	ヒ	キ
ハ	ラ	イ	モ	ド	シ		テ	ン
シ	フ	ク		ウ	ラ	ナ	イ	シ

ヒヨウハク

27

イ	ヌ		タ	シ	ヨ	ウ		ヒ
ツ	キ	ヨ		ン		ジ	シ	ヨ
ス	ミ		シ	ジ	ン		タ	ウ
ン		コ	バ	ン		ウ		タ
サ	ン	ガ	イ		ス	ツ	ポ	ン
キ		ネ		カ	ン	ロ		カ
ハ	ナ		イ	ナ	カ		ク	ラ
ヤ	ミ	ヨ		ボ		シ	ル	コ
ミ		シ	ヨ	ウ	コ		イ	マ

イロハカルタ

28

	ヒ	ヤ	ク	エ		キ	ツ	テ
ユ	フ		カ	ク	サ	ン		サ
ウ		ハ	ン	レ	イ		テ	ン
ヒ	ス	イ		ア	シ	サ	ン	リ
	イ	レ	コ		ヨ	ツ	ト	
チ	ヨ	ゾ	ウ	コ		カ	ツ	ジ
ユ	ウ		ゴ	ウ	コ	ク		ン
ウ		ト	ウ	シ	ユ		サ	ユ
フ	ウ	チ		ユ	ウ	セ	ン	

スツキリ

47

オムライス／アオタ
スナバ／ワギリ／マ
イ／パンダ／カゴ
イタマエ／イオンカ
シ／ドリア／ジザケ
ヤリ／アンカ／シゴ
キシツ／チマキ／ハ
ビョウキ／メイカン
ビク／シキシ／キ
ン／ジャム／カノコ
バケツ／チャーハン

ギンシャリ

48
アシアト／マゴノテ
クンシ／シドウ／ン
タ／スコーン／ネタ
ガイトウ／ナカガイ
ワシ／キシ／メイボ
リ／チョッケイ／ウ
ユカタ／ソン／カエ
ウインク／ザツオン
ノリ／リベンジ／キ
ス／ケツロ／ツキヨ
ケンガク／アマトウ

ソメイヨシノ

49
ワゴ／キタキツネ
ラムシュ／キゴコチ
ブ／ユウキュウ／エ
キュウリョウ／ハブ
シ／シシュウ／ギャク
ガ／ヨウギシャ／ロ
イガク／ジョウツキ
ライ／ジョウキョウ
イ／ショウキョ／タ
ゴマダレ／ユウガタ
シレイトウ／タネ

ハリショウガ

50
オチ／アキレス
リクエスト／アイソ
ユレ／イチゴ／ソウ
ウ／タカ／ジコ／タ
グアイ／キュウケイ
ウラ／フイン／ガセ
ノシブクロ／ハワイ
ツ／イソ／シラ／リ
カヒ／ウサギ／シロ
イラク／ロングラン
メイジン／ルス

ブタイウラ

51
エコ／アニメ／ウデ
ベツバラ／タダノリ
レ／タイシボウ／バ
スター／ヤ／トナリ
トキ／ジシヨ／ポー
シャカンキョリ
デー／タウン／タナ
ジドリ／ツ／コンマ
ヤ／フタリノリ／ビ
ビストロ／コーヒー
ユー／ウナリ／ザル

ノーベルショウ

52
スイエイ／ムギワラ
カテ／ワタゲ／ザツ
ツ／ボクシング／キ
シセン／ザ／ミツユ
ユミ／バント／ユウ
コイン／バクハ
ポロ／クラク／ラフ
シンサ／ク／コイツ
エ／ヤジロベエ／ト
ツバ／ゴスン／アサ
トラック／ピストル

ボランテイア

29
シャジク／アカハジ
ヨリ／ウニ／ラデン
ウ／ナキオトシ／カ
スキマ／ウリ／サイ
ウリコミ／デマカセ
セン／セイ／シテン
イ／ヒバイヒン／ジ
エクボ／ネツ／カユ
イニシエ／ジョシツ

デンシンバシラ

30
エ／アオイトリ／パ
チチトコ／リジチン
カノ／ジョカ／ヨセ
ニジ ヨウジョウ
イチゴ／シ／ヤサイ
ヨウジョウ ウクン
オウ／コクジ／ボカ
セビリア／ヨウシツ
ロ／ガイコウハ／パ

チョウシ

31
セカイ／アマヤドリ
ミリリットル／ウン
フ／グチ／ガンジス
アッチ／セリ／ヨ
イギ／モン／オウヒ
ナ／カツプメン／ヤ
ルアー／ウド／ミツ
シ／ハキ／シズカ／ジ
キバセン／ブタ／ジ
ビラ／ハナシアイテ
スイハンキ／ジシン

プリンセス

32
アウト／セミシグレ
イチモウダジン／プ
スミ／ライン／シリ
ミズガメ／ギジンカ
ル／ランキリュウ
クラス／ヨ／ウチユ
ツバゼリアイ／ウ
ゲキリン／イシバシ
キー／コワケ／イヨ
レ／コウシンリョウ
イセイジン／クウキ

ダイコクバシラ

33
ハイブリッド／オケ
ラ／タン／リョウシ
イワ／シニア／ト
セクション／コウシ
チャ／キオン／ヨ
メンクイ／カテイカ
オ／ナガシ／スネ
トカゲ／カブトムシ
コ／コトリ／リカ
マウンド／ツウ／エ
マクコ／モミジオロシ

ムクドリ

34
ヒコウシ／スパイス
トウ／オブラート
エボシ／ギン／コブ
ウンドウグツ／レ
アダ／カギ／ラタイ
ライジン／ブランコ
モシユ／オイ／スウ
ー／クウシンサイ
ドア／イエ／トカイ
セバンゴウ／ブン
ブリーチ／シュツド

パラシュート

135

35
ミツキヨウ

36
セツケン

37
エンソク

38
マングース

39
ゲンジモノガタリ

40
オムカレー

41
ヨジジュクゴ

42
ネホリハホリ

43
ヤナギノシタニイツモ
ドジョウハオラヌ

44
ビーチフラッグス

45
ジイシキ

46
ゼニガメ

53

カ	ゾ	エ	ウ	**タ**	■	ム	ス	ウ
コ	ン	ビ	■	イ	シ	ダ	タ	ミ
■	メ	ス	シ	リ	ン	ダ	ー	■
パ	イ	■	キ	ヨ	■	マ	ダ	ム
ラ	■	コ	リ	ク	ツ	■	ス	ゲ
ダ	イ	ケ	イ	■	ト	コ	ト	**ン**
イ	ー	■	タ	イ	メ	イ	■	ダ
ス	ジ	メ	■	ア	サ	■	バ	イ
■	ス	イ	ハ	ン	キ	ュ	ウ	■
ア	カ	ハ	ダ	カ	■	キ	ン	シ
ミ	ン	ク	■	**イ**	タ	ミ	ド	メ

タイダン

54

ス	■	チ	ョ	ウ	ム	ス	ビ	■
テ	ブ	ク	ロ	■	ト	リ	ケ	シ
テ	ン	■	イ	オ	ウ	■	イ	チ
コ	ス	ト	■	オ	ハ	**コ**	■	へ
■	イ	ミ	ア	イ	■	ジ	シ	ン
カ	レ	■	**キ**	リ	エ	■	ユ	ゲ
エ	イ	キ	■	ブ	ン	カ	ツ	■
リ	■	**モ**	サ	ク	■	ゲ	シ	ャ
シ	コ	■	キ	ロ	ク	■	ヨ	シ
ナ	コ	ウ	ド	■	ト	ッ	ク	**ン**
■	ア	ラ	リ	ヨ	ウ	ジ	■	カ

テンコモリ

55

ド	ウ	**キ**	ヅ	ケ	■	ピ	ア	ス
マ	ジ	ョ	■	ネ	オ	ン	ガ	イ
ン	■	ス	ラ	ン	**グ**	■	リ	カ
ナ	メ	ク	ジ	■	ラ	ク	■	ワ
カ	ク	■	コ	エ	■	ジ	ド	リ
■	ジ	ゼ	ン	ジ	ギ	ョ	ウ	■
ク	ラ	ブ	■	キ	ジ	■	セ	キ
ビ	■	ラ	ブ	■	**ロ**	グ	イ	ン
ツ	ド	■	カ	マ	ク	ラ	■	ジ
ピ	ラ	ミ	ッ	ド	■	マ	ッ	ト
キ	ム	チ	■	ベ	レ	ー	ボ	ウ

グロツキー

56

デ	ン	ワ	■	オ	ヒ	ト	**ヨ**	シ
ン	■	**ナ**	イ	ン	■	コ	ン	ヤ
チ	チ	■	タ	チ	**バ**	ナ	■	イ
■	チ	キ	ン	■	ツ	ツ	ミ	■
ジ	ブ	ン	■	イ	テ	■	ケ	イ
ツ	■	シ	チ	**ナ**	ラ	ベ	■	ア
カ	コ	■	ヤ	リ	■	ツ	ド	イ
■	ケ	ジ	メ	■	シ	ド	ウ	■
シ	■	ユ	**シ**	ュ	ツ	■	シ	オ
カ	イ	ワ	■	ト	イ	**シ**	■	ワ
ツ	**イ**	キ	ュ	ウ	■	カ	ン	リ

ナイシヨバナシ

57

コ	ケ	シ	■	タ	メ	シ	■	テ
ス	リ	**ツ**	ト	■	オ	リ	ヅ	ル
イ	■	ソ	ウ	マ	ト	ウ	■	テ
■	マ	ク	■	ト	■	マ	ヒ	ル
ハ	ト	■	ハ	リ	コ	■	ヤ	ボ
リ	■	ギ	ニ	ヨ	ー	ル	■	ウ
ガ	マ	■	ワ	ー	ド	■	ク	ズ
ネ	ゴ	ト	■	シ	■	キ	モ	
ザ	■	ク	ビ	カ	ザ	リ	■	ハ
イ	ン	**シ**	ュ	■	コ	**バ**	ナ	シ
ク	■	ヤ	ー	ド	■	リ	ン	ゴ

ツリバシ

58

イ	モ	**ニ**	■	シ	■	カ	セ	キ
ナ	■	ジ	ュ	ン	サ	**イ**	■	サ
ニ	シ	■	キ	キ	メ	■	ア	**カ**
ワ	ラ	ジ	■	ロ	■	ル	マ	タ
■	カ	■	コ	ウ	シ	■	ノ	
オ	ミ	ク	ジ	■	ハ	タ	ハ	タ
■	サ	■	キ	**ホ**	ン	■	シ	
サ	ン	ゴ	■	タ	■	ア	ダ	ナ
キ	チ	■	イ	ル	カ	■	テ	マ
ユ	■	ズ	ワ	イ	**ガ**	ニ	■	ハ
ウ	ル	シ	■	カ	■	ク	ラ	ゲ

ニホンカイガワ

59

ク	**ル**	マ	イ	ス	■	ツ	**キ**	ヒ
グ	リ	ー	ン	■	フ	ル	サ	ト
リ	■	キ	キ	ュ	ウ	■	キ	フ
ド	カ	ン	■	キ	ド	ウ	■	デ
■	キ	グ	ル	ミ	■	ハ	ツ	ガ
カ	**ワ**	■	イ	シ	キ	■	**ユ**	キ
フ	リ	コ	■	ヨ	ロ	イ	ド	■
エ	■	ブ	ソ	ウ	■	キ	キ	テ
テ	ツ	■	フ	ジ	ツ	ボ	■	キ
リ	ミ	ッ	ト	■	モ	ト	ジ	メ
ア	**レ**	イ	■	ハ	リ	ケ	**ー**	ン

ワルキューレ

60

ト	ラ	ウ	マ	■	ア	ス	テ	カ
ゲ	イ	■	ラ	ス	ク	■	**ゴ**	ヤ
■	ハ	セ	ガ	ワ	マ	チ	コ	
カ	イ	ン	■	ト	■	エ	ロ	ス
ル	■	ビ	ヨ	ウ	**シ**	ツ	■	ク
シ	ワ	ヨ	セ	■	チ	ク	ザ	イ
ウ	■	ウ	**ツ**	チ	ヤ	リ	■	ヌ
ム	カ	シ	■	カ	■	ス	カ	シ
■	**ク**	ッ	ク	シ	ヨ	ト	ウ	
ゴ	テ	■	レ	ッ	ト	■	ナ	ナ
ゴ	ル	ゴ	タ	■	ウ	エ	ス	タ

ゴシツク

平成クロスワード
31年を振り返る31問

2019年4月に幕を閉じた平成。
その平成をパズルで楽しく振り返りましょう。たとえば

- さくらももこのエッセイ『もものーー』がベストセラーに（平成3年）
- 5月、この国ではフジモリ大統領が3選。しかし11月に辞任（平成12年）
- 二本足で直立する姿で人気者となった千葉市動物公園のレッサーパンダの名前（平成17年）
- 12月31日をもって解散した、男性アイドルグループ（平成28年）

などなど、柔らかい話題から固い内容まで、各年の出来事が満載。「そういえばこの言葉が流行ったなあ」と思い出したり、「へえ、そんなことがあったんだ」と新たに知ったり、あなたの頭を刺激すること間違いなし。問題の次のページには各年の流行や世相をまとめた解説ページもご用意しました。解いても読んでも楽しめる、平成史を凝縮した1冊です。

平成
クロスワード
31年を振り返る31問

●A4判
●定価1925円
（本体1750円＋税）

ニコリ出版物のお知らせ

*2022年5月現在　*本の定価はすべて10%の消費税込みです。

下記以外にもいろんな種類のパズル本がございます。
詳細はニコリホームページをご覧ください。

世界最強の
パズル
総合誌
パズル通信 ニコリ
●季刊（3、6、9、12月10日発売）
●B5変型
●定価1100円

クロスワード55問をハンディサイズに　●新書判　●定価各682円
いつでもクロスワード1、2、5〜7

ノーマル40問と変わり種16問を収録　●A5判　●定価各814円
いろいろクロスワード1、2

クロスワードの新定番。60問以上収録
●新書判
●1〜3 定価各792円
　4 定価825円
withクロスワード1〜4

各年1問のパズルと解説で平成を大づかみ　●A4判　●定価1925円
平成クロスワード

43問のクロスワードで四季を感じよう　●A5判　●定価935円
クロスワード春夏秋冬

世界一の
大きさ！
66,666語
メガクロス 書籍版
●定価38,500円
メガクロス 巻物版
●定価275,000円

1冊1種類の単行本
ペンシルパズル三昧シリーズ
カックロ1　スリザーリンク1
●新書判
●定価各825円
フィルオミノ1
●新書判　●定価935円
カックロ中上級1
スリザーリンク中上級1
●四六判　●定価935円

入手方法

㋑ ニコリ出版物は全国の書店でご購入いただけます。店頭になくても、送料無料でお取り寄せができます。また、インターネット書店でも取り扱っています。

㋟ ニコリに直接ご注文の場合は、別途送料・手数料がかかります。ニコリ通販担当（TEL:03-3527-2512）までお問い合わせいただければ、ご案内をお送りします。

ニコリ直販ショップ

　ニコリ出版物をインターネット上で購入することができる直営売り場を開設しています。在庫わずかな出版物の限定販売や、ニコリ出版物を1年間送料無料でお届けする「サブスク」サービスもご用意していますよ。

ニコリ直販ショップ
https://nikolidirectshop.stores.jp/

スマニコリ

　「スマニコリ」は、スマートフォン向けのパズルアプリです。iOS、Androidのスマートフォンに対応しています。OSが対応していれば、タブレットPCでも遊べますよ。

　毎日、新しい問題を出題していて、出題済みの問題はどれもあとから遊べます。パズルは、世界的人気パズルの「数独」と、画面上で解くととっても楽しい「美術館」の2種類。やさしい問題から難しい問題まで幅広く出題しています。

　アプリのダウンロードは無料、アプリ内での課金もありません。App Store（iOS版）やGoogle Play ストア（Android版）で、「スマニコリ」で検索してみてね。

デジタルデータ販売

　ニコリ出版物のデジタルデータ（PDF形式）を買えるウェブサイト「デジニコ支店」というものがあります。現在『決定版数独』『オモロパズル大全集』など、過去の出版物20冊以上のデータを販売中です。閲覧用のソフトウェアや紙への印刷手段をご用意のうえ、お楽しみください。

ニコリ　デジニコ支店
https://nikoli.stores.jp/

2022年5月10日　初版第1刷発行

●発行人　安福良直
●編集人　竺友信
●発行所　株式会社ニコリ
　〒103-0007　東京都中央区日本橋浜町3-36-5
　日本橋浜町ビル3Ｆ　TEL:03-3527-2512
　https://www.nikoli.co.jp/
●印刷所　中央精版印刷株式会社